Para mi
doctor y
consejero
pre-matrimonial
bautical.

Con cariño
Alain

Los sesenta
cumplen treinta

S E L L O   B E R M E J O

Los sesenta cumplen treinta

ALAIN DERBEZ

CONACULTA

Primera edición en Sello Bermejo: 2001

Producción: CONSEJO NACIONAL PARA LA CULTURA
Y LAS ARTES
Dirección General de Publicaciones

© Alain Derbez

D.R. © 2001, de la presente edición
Dirección General de Publicaciones
Calz. México Coyoacán 371
Xoco, CP 03330
México, D.F.

Las características gráficas y tipográficas
de esta edición son propiedad de la Dirección
General de Publicaciones del CONACULTA

ISBN 970-18-6217-1

Impreso y hecho en México

epígrafes de ocasión

Uno conoce lo que cree y lo que le han dicho y lo que cree que corresponde a lo que le han dicho. Luego uno hace su vida.

Melmoth Pandalán

Los sesenta se siguen viviendo aunque no los hayas vivido nunca, eso no quiere decir que permanezcan vivos pero tampoco te puedo asegurar que sigan muertos.

Victoria Lechuga

Si recuerdas los sesenta, tal vez nunca estuviste ahí.

Robin Williams

Pero eso fue, si cierto es que eso fue, hace ya mucho tiempo...

Diálogo del León y el Bardo en *Y nadie nos dijo adiós cuando nos fuimos*

—Los sesenta cumplen treinta.
—Entonces desconfía de ellos pero ya.

Diálogo suprimido en *Los sesenta cumplen treinta*

Un libro no es la mera acumulación de materiales más o menos semejantes o ligados por una idea común. Son otros los aspectos que constituyen su unidad.

Respuesta de José Emilio Pacheco a José Antonio Alcaraz, *Diorama de Excélsior*, abril 1961

Es la historia de una fiesta y una cruda.
La fiesta me la contaron.
La cruda la cuento aquí.

Posible estribillo de canción generacional

ÍNDICE

ABRÍ EL PERIÓDICO

Abrí el periódico. Entre un montón de basura: edictos, demandas, agradecimientos, oraciones a vírgenes y santos, nombres de muertos, estaba enterrada la convocatoria... Siempre he tenido esa rara habilidad, un cierto olfato:

CONCURSO

MANDE USTED SU LIBRO
NO ME IMPORTA GÉNERO NI TAMAÑO
MUCHO MENOS CURRÍCULUM.
SI ME GUSTA (ESCOGERÉ DIEZ),
LO PUBLICO.
ADEMÁS LE PAGO

Y PRONTO.

Éste es el libro que envié.

A MANERA DE PRÓLOGO

—¿Éste es un libro sobre los sesenta?

—No. Éste es un libro sobre los sesenta cumpliendo treinta y yo ahí.

—Ah.

UNA MIRADA JAMÁS TENDRÁ
LAS RODILLAS SANGRANTES

Al principio parecía un bosque. Era un bosque triste. Cada enero aumentaba su tristeza con todos los pinos desechados luego de las fiestas. Bastaba un poco del viento de febrero para averiguar que tras aquellos ramajes que un par de meses antes habían aguantado cualquier cantidad de esferas y de luces, había escuálidos troncos ansiosos. Al arribar la primavera era un bosque de percheros que finalmente, si uno miraba el suelo, dejaba ver las lápidas. Para el poco curioso era un bosque triste para colgar sombras y pisar cemento. Para el curioso era un bosque triste de percheros con suelo de cemento y varias inscripciones donde echar a correr resultaba de alto riesgo. Eso explicaba aquel letrero hecho con prisa a mano: SI ESTÁ USTED ABURIDO PÓNGASE A LEER. Faltaba una R. Como si el letrero lo hubiera hecho una mujer haitiana con desdén. En ese bosque triste para colgar sombreros y abrigos sólo la mirada del curioso podía echar a correr consciente de que no le sería demasiado doloroso tropezar, caer, levantarse. Una mirada jamás tendrá las rodillas sangrantes. Como su nombre lo indica, una mirada mira hasta donde la vista lo permite:
roser garcía aixás... diciembre...
maría guzmán... diciembre...
ricardo mestre... febrero...

stokeley carmichael muerto el 15 de noviembre de 98, ted hugues muerto el 28 de octubre de 98, frank sinatra muerto el 14 de mayo de 98, carlos castaneda muerto el 27 de abril de 98, octavio paz muerto el 19 de abril de 98, linda mccartney muerta el 17 de abril de 98, wendy o. williams muerta el 6 de abril de 98, cozy powell muerto el 5 de abril de 98, carl wilson muerto el 6 de febrero de 98, carl perkins muerto el 19 de enero de 98, junior wells muerto el 16 de enero de 98, sonny bono muerto el 5 de enero de 98, floyd cramer muerto el 31 de diciembre de 97, jimmy rogers muerto el 19 de diciembre de 97, simon jeffes muerto el 10 de diciembre de 97, stephane grappelli muerto el 1° de diciembre de 97, michael hutchence muerto el 22 de noviembre de 97, henry vestine muerto el 20 de octubre de 97, roy lichtenstein muerto el 29 de septiembre de 97, jimmy witherspoon muerto el 18 de septiembre de 97, burgess meredith muerto el 9 de septiembre de 97, nusrat fateh alí khan muerto el 16 de agosto de 97, luther allison muerto el 12 de agosto de 97, conlon nancarrow muerto el 10 de agosto de 97, fela anikulapo kuti muerto el 2 de agosto de 97, william burroughs muerto el 2 de agosto de 97, johnny copeland muerto el 3 de julio de 97, jacques cousteau muerto el 25 de junio de 97, lawrence payton muerto el 20 de junio de 97, ronnie lane muerto el 5 de junio de 97, luis carrión muerto el 1° de junio de 97, roland topor muerto el 16 de abril de 97, laura nyro muerta el 8 de abril de 97, allen ginsberg muerto el 5 de abril de 97, willem de kooning muerto el 19 de marzo de 97, baker lavern muerto el 10 de marzo de 97, cornelio reyna muerto el 22 de enero de 97, randy california muerto el 2 de enero de 97, marcello mastroianni muerto el 19 de diciembre de 96, josé donoso muerto el 7 de diciembre de 96, georges duby muerto el 3 de diciembre de 96, bob gibson muerto el 28 de septiembre de 96, chass chandler muerto el 17 de julio de 96, ella fitzgerald muerta el 15 de junio de 96, timothy leary muerto el 31 de mayo de 96, johnny guitar watson muerto el 17 de mayo de 96, gerry mulligan muerto el 20 de enero de 96, gilles deleuze muerto el 13 de diciembre de 95, antonio carlos jobim muerto el 8 de diciembre de 94, junior walker muerto el 23 de noviembre de 95, terry southern muerto el 29 de octubre de 95, don cherry muerto el 19 de octubre de 95, sterling morrison muerto el 30 de agosto de 95, michael ende muerto el 28 de agosto de 95, jerry garcia muerto el 9 de agosto de 95, ernest mandel muerto el 20 de julio de 95, émile cioran muerto el 25 de junio de 95, rory gallager muerto el 14 de junio de 95, elizabeth montgomery muerta el 18 de mayo de 95, ginger rogers muerta el 25 de abril de 95, julius hemphill muerto el 2 de abril de 95, selena muerta el 31 de marzo de 95, antonio carlos jobim muerto el 8 de diciembre de 94, gian maría volonte muerto el 6 de diciembre de 94, guy debord muerto el 30 de noviembre de 94, jerry rubin muerto el 28 de noviembre de 94, cab calloway muerto el 18 de noviembre de 94, wilbert harrison muerto el 26 de octubre de 94, nicky hopkins muerto el 6 de septiembre de 94, elias canetti muerto el 4 de septiembre de 94, eddie boyd muerto el 13 de julio de 94, kristen pfaff muerta el 15 de junio de 94, manuel enríquez muerto el 26 de abril de 94, kurt cobain muerto el 8 de abril de 94, eugene ionesco muerto el 28 de marzo de 94, charles bukowsky muerto el 9 de marzo de 94, melina mercouri muerta el 6 de marzo de 94, papa john creach muerto el 22 de febrero de 94, paul k. feyerabend muerto el 12 de febrero de 94, harry nilsson muerto el 15 de enero de 94, michael clarke muerto el 19 de diciembre de 93, frank zappa muerto el 2 de diciembre de 93, anthony burgess muerto el 25 de noviembre de 93, albert collins muerto el 24 de noviembre de 93, federico fellini muerto el 31 de octubre de 93, severo sarduy muerto el 11 de junio de 93, conway tiwitty muerto el 5 de junio de 93, sun ra muerto el 30 de mayo de 93, felix pappalardi muerto el 17 de abril de 93, dizzy gillespie muerto el 6 de enero de 93, albert king muerto el 21 de diciembre de 92, roy acuff muerto el 23 de noviembre de 92, felix guattari muerto el 30 de agosto de 92, john cage muerto el 12 de agosto de 92, marlene dietrich muerta el 6 de mayo de 92, isaac asimov muerto el 6 de abril de 92, willie dixon muerto el 29 de enero de 92, freddie mercury muerto el 24 de noviembre de 91, billy graham muerto el 25 de octubre de 91, miles davis muerto el 25 de septiembre de 91, little willie anderson muerto el 20 de junio de 91, stan getz muerto el 6 de junio de 91, harold eugene clark muerto el 24 de mayo de 91, steve marriot muerto el 20 de abril de 91, gabriel celaya muerto el 18 de abril de 91, clarence leo fender muerto el 21 de marzo de 91, james cleveland muerto el 9 de febrero de 91, steve clark muerto el 8 de enero de 91, lawrence durrell muerto el 7 de noviembre de 90, louis althusser muerto el 7 de noviembre de 90, art blakey muerto el 16 de octubre de 90, leonard bernstein muerto el 14 de octubre de 90, tom fogerty muerto el 6 de septiembre de 90, steve ray vaughn muerto el 27 de agosto de 90, manuel puig muerto el 22 de julio de 90, sammy davis jr. muerto el 16 de mayo de 90, marvin gaye muerto el 1º de abril de 90, rick grech muerto el 16 de marzo de 90, johnny ray muerto el 24 de enero de 90, samuel beckett muerto el 22 de diciembre de 89, john cipollina muerto el 29 de mayo de 89, salvador dalí muerto el 23 de enero de 89, roy orbison muerto el 6 de diciembre de 88, ted taylor muerto el 22 de octubre de 88, nico muerta el 18 de agosto de 88, roy buchanan muerto el 14 de agosto de 88, eddie cleanhead vinson muerto el 2 de julio de 88, chet baker muerto el 13 de junio de 88, j.c. burris muerto el 15 de mayo de 88, brook benton muerto el 9 de abril de 88, andy gibb muerto el 10 de marzo de 88, john clellon holmes muerto el 2 de marzo de 88, memphis slim muerto el 24 de febrero de 88, marguerite yourcenar muerta el 17 de diciembre de 87, clifton chenier muerto el 12 de diciembre de 87, woody herman muerto el 29 de octubre de 87, jaco pastorius muerto el 21 de septiembre de 87, peter tosh muerto el 11 de septiembre de 87, paul butterfield muerto el 4 de mayo de 87, andy warhol muerto el 22 de febrero de 87, lee dorsey muerto el 1º de diciembre de 86, bobby nunn muerto el 5 de noviembre de 86, jorge luis borges muerto el 14 de junio de 86, benny goodman muerto el 13 de junio de 86, mircea eliade muerto el 21 de abril de 86, jean genet muerto el 15 de abril de 86, simone de beauvoir muerta el 14 de abril de 86, o'kelly isley muerto el 31 de marzo de 86, bernard malamud muerto el 18 de marzo de 86, bukka white muerto el 12 de marzo de 86, sonny terry muerto el 11 de marzo de 86, richard manuel muerto el 4 de marzo de 86, bob kaufman muerto el 12 de enero de 86, joe farrell muerto el 10 de enero de 86, juan rulfo muerto el 7 de enero de 86, phil lynott muerto el 4 de enero de 86, ricky nelson muerto el 31 de diciembre de 85, ian stewart muerto el 12 de diciembre de 85, robert graves muerto el 7 de diciembre de 85, big joe turner muerto el 24 de noviembre de 85, blind john davis muerto el 12 de octubre de 85, rock hudson muerto el 3 de octubre de 85, italo calvino muerto el 19 de septiembre de 85, rodrigo gonzález muerto el 19 de septiembre de 85, heinrich böll muerto el 16 de julio de 85, big joe turner muerto el 18 de mayo de 85, david byron muerto el 28 de febrero de 85, alberta hunter muerta el 17 de octubre de 84, richard brautigan muerto el ¿de? de 84, truman capote muerto el 25 de agosto de 84, frank floyd muerto el 7 de agosto de 84, big mama thornton muerta el 25 de julio de 84, michel foucault muerto el 25 de junio de 84, marvin gaye muerto el 1º de abril de 84, julio cortázar muerto el 13 de febrero de 84, jackie wilson muerto el 21 de enero de 84, alexis korner muerto el 1º de enero de 84, dennis wilson muerto el 28 de diciembre de 83, joan miró muerto el 25 de diciembre de 83, dámaso pérez prado muerto el 4 de diciembre de 83, tom evans muerto el 23 de noviembre de 83, james booker muerto el 8 de noviembre de 83, luis buñuel muerto el 29 de julio de 83, chris wood muerto el 12 de julio de 83, muddy mckinley morganfield waters muerto el 30 de abril de 83, arthur koestler muerto el 3 de marzo de 83, karen carpenter muerta el 4 de febrero de 83, garrincha muerto el 16 de enero de 83, amadou toure muerto el 15 de enero de 83, big joe williams muerto el 17 de diciembre de 82, david blúe muerto el 2 de diciembre de 82, parménides garcía saldaña muerto el 27 de septiembre de 82, joe tex muerto el 12 de agosto de 82, kenneth rexroth muerto el 6 de junio de 82, john belushi muerto el 5 de marzo de 82, thelonious monk muerto el 17 de febrero de 82, alex harvey muerto el 4 de febrero de 82, sam lightnin hopkins muerto el 30 de enero de 82, hoagy carmichael muerto el 27 de diciembre de 81, big walter horton muerto el 8 de diciembre de 81, georges brassens muerto el 31 de octubre de 81, guy stevens muerto el 29 de agosto de 81, roy brown muerto el 25 de mayo de 81, bob marley muerto el 11 de mayo de 81, bob hite muerto el 5 de abril de 81, michael bloomfield muerto el 15 de febrero de 81, bill haley muerto el 9 de febrero de 81, david lynch muerto el 2 de enero de 81, marshall mcluhan muerto el 31 de diciembre de 80, tim hardin muerto el 29 de diciembre de 80, john lennon muerto el 8 de diciembre de 80, o.v. wright muerto el 16 de noviembre de 80, john bonham muerto el 25 de septiembre de 80, bill evans muerto el 15 de septiembre de 80, keith godchaux muerto el 22 de julio de 80, henry miller muerto el 7 de junio de 80, alejo carpentier muerto el 24 de abril de 80, jean paul sartre muerto el 15 de abril de 80, alfred hitchcock muerto el 14 de abril de 80, roland barthes muerto el 26 de marzo de 80, bon scott muerto el 20 de febrero de 80, henry roeland professor longhair muerto el 30 de enero de 80, larry williams muerto el 2 de enero de 80, dorsey burnette muerto el 19 de agosto de 79, herbert marcuse muerto el 29 de julio de 79, minnie riperton muerta el 12 de julio de 79, lowell george muerto el 29 de junio de 79, sid vicious muerto el 2 de febrero de 79, donny hathaway muerto el 13 de enero de 79, charlie mingus muerto el 5 de enero de 79, bob luman muerto el 27 de diciembre de 78, jacques brel muerto el 9 de octubre de 78, keith moon muerto el 7 de septiembre de 78, juke boy bonner muerto el 29 de junio de 78, terry kath muerto el 28 de enero de 78, charlie chaplin muerto el 26 de diciembre de 77, rené goscinny muerto el 5 de noviembre de 77, steve gaines muerto el 20 de octubre de 77, ronnie van zant muerto el 20 de octubre de 77, bing crosby muerto el 14 de octubre de 77, arqueles vela muerto el 25 de septiembre de 77, marc bolan muerto el 16 de septiembre de 77, groucho marx muerto el 19 de agosto de 77, elvis presley muerto el 16 de agosto de 77, vladimir nabokov muerto el 4 de julio de 77, sleepy john estes muerto el 5 de junio de 77, paul desmond muerto el 30 de mayo de 77, bukka white muerto el 26 de febrero de 77, freddy king muerto el 26 de diciembre de 76, gary thain muerto el 22 de diciembre de 76, tommy bolin muerto el 4 de diciembre de 76, victoria spivey muerta el 3 de octubre de 76, jimmy reed muerto el 29 de agosto de 76, keith relf muerto el 14 de mayo de 76, josé revueltas muerto el 14 de abril de 76, phil ochs muerto el 8 de abril de 76, mance lipscomb muerto el 30 de enero de 76, howlin' chester burnett wolf muerto el 10 de enero de 76, k c douglas muerto el 18 de octubre de 75, tim buckley muerto el 29 de junio de 75, pete ham muerto el 1º de mayo de 75, aaron t-bone walker muerto el 16 de marzo de 75, nick drake muerto el 25 de noviembre de 74, ivory joe hunter muerto el 8 de noviembre de 74, pink anderson muerto el 12 de octubre de 74, mama cass elliot muerta el 29 de julio de 74, jimmy ricks muerto el 2 de julio de 74, duke ellington muerto el 24 de mayo de 74, graham bond muerto el 8 de mayo de 74, arthur crudup muerto el 28 de marzo de 74, tex ritter muerto el 3 de enero de 74, bobby darin muerto el 20 de diciembre de 73, josé alfredo jiménez muerto el 23 de noviembre de 73, alan watts muerto el 16 de noviembre de 73, jim croce muerto el 20 de septiembre de 73, gram parsons muerto el 19 de septiembre de 73, paul williams muerto el 17 de agosto de 73, lizzie douglas memphis minnie muerta el 6 de agosto de 73, germán valdés tin-tán muerto el 30 de junio de 73, clarence white muerto el 19 de junio de 73, pablo picasso muerto el 8 de abril de 73, bemba camara muerto el 3 de abril de 73, ron pig-pen mckernan muerto el 8 de marzo de 73, berry oakley muerto el 11 de noviembre de 72, ezra pound muerto el 1º de noviembre de 72, mississippi fred mcdowell muerto el 3 de julio de 72, clarence white muerto el 20 de junio de 73, berry oakley muerto el 11 de noviembre de 72, jimmy rushing muerto el 8 de junio de 72, blind gary davis muerto el 5 de mayo de 72, mahalia jackson muerta el 27 de enero de 72, junior parker muerto el 18 de noviembre de 71, edie sedgwick muerta el 16 de noviembre de 71, duane allman muerto el 28 de octubre de 71, gene vincent muerto el 12 de octubre de 71, king curtis muerto el 13 de agosto de 71, louis armstrong muerto el 6 de julio de 71, jim morrison muerto el 3 de julio de 71, janis joplin muerta el 4 de octubre de 70, john dos passos muerto el 28 de septiembre de 70, jimi hendrix muerto el 18 de septiembre de 70, blind owl al wilson muerto el 3 de septiembre de 70, earl hooker muerto el 21 de abril de 70, bertrand russell muerto el 2 de febrero de 70.

—Hay cementerios —piensa el curioso en un parpadeo— que tienen el suficiente espacio para albergar a todos los muertos.

—Sí —reflexiona la mirada tiempo después—, en este mundo hay lugares para todo.

ONOMÁSTICA Y EXTRAÍDOS APÉNDICES PARA QUE EL LECTOR ADVERTIDO DECIDA POR DÓNDE O NO

A

Abril, Victoria: Actriz. Su apellido es Mérida y nació en Madrid en abril de 1959. En 1995 filmó *Libertarias*. Ver Grace Slick abajo.

Acatempan (El abrazo de): Buscar Guerrero, V. e Iturbide, A., consumación de la Independencia en Teloloapan y antecedentes decimonónicos del político mexicano. Leer aquí, líneas abajo, Avándaro.

Ace Face: Nombre del personaje de Sting en la película de 1979 *Quadrophenia*. Oír a The Who y leer *Sting y algunos hijos de la stingada*.

Adorno, Theodor W.: Nombre de filósofo (la w es por Wiesengrund) y del gato de Julio Cortázar. Ver Benjamin y Horkheimer. Leer *No le compren leche a Max*.

Aguilar, Elizabeth: Como Jane Fonda en otras partes, hace aerobics; aparecía con Raúl Astor el de Topo Gigio, salió retratada en pelota en *Playboy*. Verla actuando en la película que basada en la novela *Las batallas en el desierto* de José Emilio Pacheco se filmó. El grupo mexicano Café Tacuba hizo una canción al respecto. Leer *La nana de Santana*.

Aguilar, Luis: Luis Macías fue su personaje en *A toda máquina* y *Qué te ha dado esa mujer*. Murió en 1997, cuarenta años antes había protagonizado *Los chiflados del rocanrol*. Meneábanse en el celuloide alternativamente él, Agustín Lara, Piporro y Pedro Vargas. Leer *Elvis dos décadas*.

Albert Hall: Auditorio londinense para rock y otros menesteres musicales. Ver Beatles, Rolling Stones y Eric Clapton y leer *Vive pues la muerte agradecida*.

Alcatraz, Isla de: Ver cárcel, Al Capone, Hollywood y otras leyendas heroicas estadunidenses. Mencionada a cada rato en la serie televisiva de los sesenta *Los intocables*. Ver Álvaro Mutis. Lo que originalmente fue una fortaleza española con un faro en el centro de la bahía de San Francisco, California, fue convertida el 18 de agosto de 1934 en una prisión de alta seguridad que sería cerrada el 21 de marzo de 1963. En la actualidad es un lugar de donde llevarse, dólares mediante, un souvenir o nostalgia cristalizada como fresa de Irapuato. Leer *Vive pues la muerte agradecida*.

Alfil: Grupo mexicano de rock de principio de los ochenta. Sacó un disco de 45 revoluciones por minuto. Leer *Rocanrol del cielo y el infierno*.

Altamont: Faltan días para que terminen los sesenta. En una pista de carreras abandonada, los Ángeles del Infierno montan su previsiblemente violento numerito mientras los Rolling Stones tocan "Sympathy for the Devil". No se presentan los anunciados Grateful Dead y sí hay un muerto. Las ilusiones de Woodstock se estampan con la realidad en la costa contraria. Hay un libro de Hunter S. Thompson. Se llama *Hell's Angels, A Strange and Terrible Saga*. Leer *Vive pues la muerte agradecida* y *No le vendan leche a Max*.

Amazonas: Ver contaminación, ver genocidio, ver colonia Cuauhtémoc del Distrito Federal. En 1998 un incendio consume miles de hectáreas del sudamericano pulmón del mundo. El fuego de la selva madre se irá meses más tarde a Centroamérica y México. Leer *Sting y algunos hijos de la stingada*.

Amnistía Internacional: Ver "Conciertos por"... En México se presenta en marzo de 1998 en el Teatro Metropolitan el senegalés Youssou N'Dour, cantor que se dio a conocer en el mundo, en mucho, gracias a conciertos como el *Human Rights Now* al lado de, entre otros, Peter Gabriel. Escuchar el disco grabado en marzo de 1987 en el London Palladium, *The Secret Policeman's Third Ball* en el que participa gente como Kate Bush, Lou Reed, Jackson Browne —que en los noventa va a radicar a España—, Mark Knopfler, Bob Geldof, el grupo Duran Duran y el pinkfloydesco David Gilmour. Leer *Sting y algunos hijos de la stingada*.

Anka, Paul: Hay quien recuerda a este canadiense por Frank Sinatra cantando "Extraños en la noche", hay quien trae a la memoria al Loco Valdés en la televisión bailando "Jubilation", habrá quien sepa que durante años se ha acompañado o acompañó de músicos mexicanos para seguir rompiendo los corazones de varias estadunidenses hoy de la tercera edad. En ese sentido, sólo Neil Diamond se le podría equiparar. Leer *Elvis dos décadas*.

Arana, Federico: Guitarrista, hidalguense, rocanrolero y mariachi, biólogo, caricaturista y escritor que propone comer insectos como alternativa alimentaria. Leer *Las jiras* y *Guaraches de ante azul*. Ver Cómo suena Lennon sin John Lennon y Naftalina aquí abajo y leer *El otro nombre del rocanrol*.

¿Are You Lonesome Tonight?: Leer *La nana de Santana* y *Elvis dos décadas*.

Ariosto, Ludovico: Ver Atlante. Leer *Postdata como quien traduce su rompecabezas en vez de armarlo*.

Atlante: Mago que en el *Orlando furioso* de Ariosto se enfrenta, armado con un libro, a la brava y tenaz Bradamante. A pesar de ir ganando, al final su caballerosidad lo pierde. Equipo mexicano con el sobrenombre de Potros de Hierro que a pesar de sus dueños y entrenadores ha sido campeón algunas veces en segunda y primera división. Leer *Todo tiempo bien pasado es mejor*.

Auditorio Nacional: Ver Adolfo Ruiz Cortines. Durante el salinato la modernidad lo transformó. Su interesante historia va de la Feria del Hogar y los festivales de oposición, al glamour neoliberal, los informes partidarios y las reuniones de amantes de la autosuperación. Leer *El otro nombre del rocanrol*.

Aunt Jemima: Los hot cakes y varios tipos de miel le dan a la clase media defeña en los sesenta la alternativa de entretener a los hijos al estilo americano. Ver Avándaro.

Australia: Más de siete millones de kilómetros rodeados de agua con aborígenes en peligro de extinción en donde surgieron, entre canguros, ornitorrincos y bien olorosos koalas (que van atrofiando su pequeño cerebro a medida que consumen eucalipto), los Bee-Gees y Olivia Newton John, AC/DC, Air Supply, Crowded House y Men at Work (grupo que en 1997 se anuncia para actuar en lo que era el viejo Cine Ideal del sur de la ciudad de México) y más tarde Midnight Oil e INXS. En 1997 Newton-John, compañera de envaselinadas aventuras de John Travolta, lucha contra un cáncer, y el cantante de INXS, Michael Hutchence, se aprieta demasiado el cinturón alrededor del cuello. Leer *Aguas de Jamaica*.

Avándaro (Festival de): Los hay que sí fueron —los menos— y los que hablan sobre él —los más— y los que escriben. Díganlo si no estas líneas:

Voy a ver Chicago

Lo primero que hice fue escoger un título atractivo pero sacante de onda. Una manera de revivir un viejo chiste sangrón de la primaria pero ubicado en otro contexto —esto es, treinta años después: "Voy a ver Chicago".

(Este maestro —pensará el lector— seguramente estará utilizando el gastado gag de Pepito para iniciar luego una breve disertación sobre un grupo que a finales de los sesenta surgía como estupenda opción desde la mezcla jazz-rock con un discurso interesante y popularizable en su disco de Chicago Transit Authority *y que a principio de los setenta, luego de ubicar tres rolas en los primeros lugares, comenzó a desparramar más miel que la propia Aunt Jemima en sus hot cakes transnacionales, cosa que les vino bien para el negocio y que es lo que le importa a muchos monos que quieren exprimir hasta las últimas gotas de la burra antes de que la perestroika se la acabe de surtir...)*

Lo segundo que hice fue buscar un epígrafe justo:

Si el rock chingó a su madre, tú tampoco

(Ajá, aquí este maestro —pensará el lector— utiliza el recurso del epígrafe para incorporarse de lleno y con virulento paso a la polémica con aquellos que han decidido declarar EL ROCK HA MUERTO, *sólo que desvía la atención mediante el uso de una divisa metodológica permisible desde que Alain Delon la instauró —¿sí era Alain Delon?... No, no era: era una chava italiana con voz sexy que pujaba poquito, que luego hasta sacaron en Radio Trece en un fusil de la original rola francesa más, dijeron, atrevida por las connotaciones sexuales evidentes y que aquí censuraron. Yo te amo, tú tampoco. Hubo hasta una versión instrumental que regaló* Excélsior *en su campaña de suscripciones...)*

Lo tercero fue la dedicatoria:

Al Santos, que detrás de esa máscara continúa virgen

(¡Qué bárbaro!, qué capacidad de desmitificar la de este güey —continuará el lector ya verdaderamente reflexivo—. Ahora se va contra un ídolo de la contracultura noventera surgido en plena modernidad —si es que en plena modernidad puede surgir la contracultura y ésta puede ser atribuible a dos moneros oriundos de Jalisco motejados como Jis y Trino—. No cabe duda que con Plutarco Elías Calles en los de a 100 000 billegas, los valores —todavía no suprime Carlos los tres ceros— son muy otros. Al grito de "No te rajes Manuel" por ahí no va a faltar el mariachi que proponga una obra de teatro que nos recuerde Avándaro —aprovechando que éste es sólo memoria—, para que Julissa luzca de nueva cuenta sus habilidades directrices y para que Bibi Gaytán haga, por consulta popular, el papel de la célebre nudista regiomontana llamada en los tiempos en que la palabra "irigote" tenía razón de ser, simple y llanamente "La Encuerada"...)

Y lo último fue ya entrar de lleno al cuerpo del escrito: Venga una otra reflexión sobre eso que el 11 de septiembre de 1991 cumple 20 años y 25 en 1996 y 30 en el 2001. Una otra reflexión en donde se pregunte: ¿a quién diablos le importa hoy Avándaro?...

—¿A los rockeros a los que sí les importa el rock y no les importa que haya quienes digan que el rock ha muerto?...

—¿A los hacedores de memoria que de tanto recordar pierden en lo difuso el objeto sobre el que se bordan los recuerdos?...

—¿A los cronistas municipales-hacedores-de-santorales que quieren incorporar al calendario patrio no un acontecimiento sino una fecha, no una ubicación sino una anécdota al estilo del abrazo de Acatempan, los hechos de Narciso Mendoza el niño artillero, la corta pero decisiva lucha del niño héroe que en su vuelo quiso, enfundado en el lábaro patrio, contradecir a Isaac Newton frente a los propios paseantes gringos de Chapultepec o el *strip tease* de la joven entrevistada luego por la revista *Piedra Rodante*, la revista *Sucesos para todos*... hasta el olvido?...

—¿A los ojetes que en ese entonces se pronunciaron contra la reunión juvenil en ese estado todavía no llamado mexiquense y que hoy siguen haciendo declaraciones provocadoras instalados aún en el poder sin que nadie sepa por qué ni con qué derecho?...

—¿A los ojetes que siguen al servicio de los ojetes antes mencionados para agrandar sus declaraciones y contribuir a que todo sea run run, borrego, reticencia y nunca conocimiento, información, realidad?...

—¿Al posible lector que ahorita ya debe estar pensando *(Uy este güey ya se puso técnico)* "Uy este *güey* ya se puso técnico?" ¿A quién?...

Décadas y lustros después, con Fidel Velázquez (que en 1997 iba a ser anunciado finalmente como muerto), Luis Echeverría, Carlos Hank González, Pedro Ojeda Paullada, Alfonso Martínez Domínguez, Manuel Bartlett y todos esos etcéteras tras de o en el control décadas y lustros y años después; con Chicago compartiendo escenario en la dominical pantalla chica con Biby Gaytán, propongámonos organizar, a precios populares, conciertos masivos de rock hoy. En Avándaro por ejemplo. ¿Pasaría algo fuera del rock, los sesudos comentarios posteriores, las declaraciones, la noticia?... Leer *Los muros por asalto* y *Más allá del trimitivismo.*

Azcapotzalco: Reino de Maxtla y sitio de una refinería de petróleo cerrada en los noventa más por motivos de espectáculo político salinista que de conciencia ecológica. En 1998 se propone a sus habitantes popular consulta para renombrar sus calles. Leer *Vive pues la muerte agradecida.*

B

Babilonia: Leer de 1977 la novela *Un detective en Babilonia* de Richard Brautigan. El 18 de agosto de 1997, bajo el puente de Brooklyn, los Rolling Stones presentan un disco con el nombre de *Puentes a Babilonia*. Se puede ver en la foto a Keith Richards con una camiseta con el retrato de Bob Marley. Ese mismo retrato, tomado por la estadunidense Kate Simon, estará en el escenario cuando los Rolling Stones toquen en México el 9 de febrero de 1998. Ese retrato también estaba en la playera de Santana cuando tocó en el Palacio de los Deportes. Leer *Aguas de Jamaica.*

27

Baez, Joan: Nacida en 1941. Triunfa en el Festival de Newport en 1959. Leer *El amanecer*, libro autobiográfico. Ha actuado en el Palacio de las Bellas Artes defeño y en el Festival Cervantino en Guanajuato; 1998 tiene un nuevo disco de ella. Leer, claro, *¿Joan Baez no es Joan Baez es Joan Baez?*

Baker, Ginger: Terminan los sesenta cuando este baterista se junta con Eric Clapton, con Steve Winwood y con Rick Grech para hacer ese disco de colección donde una güera Lolita de nacientes pechos desnudos sostiene un plateado avión. El nombre es *Blind Faith* y hubo algunos moralinos que le cambiaron la portada a los discos que se vendieron aquí. En la continuidad de los supergrupos en 1996 Baker participa con Bill Frisell a la guitarra, el tocador de banjo Bela Fleck y el contrabajista Charlie Haden en el disco *Falling of the Roof*. Leer *Vive pues la muerte agradecida*.

Ball and Chain: Algo más que *unpocodetenmeaquí*. Oír a Janis Joplin. En septiembre de 1997 aparece un doble compacto con 32 temas llamado *Absolute Janis*. Leer *Me hubiera gustado estrellar una copa contra el suelo*.

Band (The): Ver la película *The Last Waltz* y oír a Dylan en *The Basement Tapes*. Dos de sus integrantes ya murieron. Leer *No le compren leche a Max*.

Banda Bóstik: Grupo de rock mexicano. Leer *Los muros por asalto*.

Baños El Tíber: Deportivo sobre la avenida que lleva el nombre del reino de Maxtla. Leer *Vive pues la muerte agradecida*.

Bátiz, Javier: Ver blues, Finks, TJ's, Tijuana, Santana en el Palacio de los Deportes. Leer *Todo tiempo bien pasado es mejor*, *La nana de Santana* y *Rocanrol del cielo y el infierno*. El 2 de marzo de 1980 publiqué: "Es importante: Javier Bátiz toca blues y sabe cómo". El público que hace unos días fue a escucharlo al Museo del Chopo lo pudo comprobar. Con este concierto el guitarrista regresaba con un público que hace ya mucho tiempo no visitaba. Pero Bátiz es un músico para muy distintos tipos de público: lo mismo toca en una graduación que en el Teatro Ferrocarrilero, en campañas de candidatos oficiales o en el escenario de San Cosme. Es el blues el que lo hace apto para ser oído por cualquier gente; después de todo —él lo ha confesado— es en el blues que se basa toda su música. El blues, el que levantó al chavo de su asiento —el suelo a falta de butaca— y lo puso a bailar mientras que los demás aplaudían. El chavo dejaba de moverse, comenzaba, doblaba las manos, estiraba los brazos y daba vueltas mientras Bátiz requinteaba, al parecer, solamente para que aquél siguiera bailando, sólo para él. El blues: acaso el saxofón tan bien tocado por el Sopas (Octavio Espinosa), la voz de Norma Valdez tan joplinesca o la sola guitarra. Los instrumentos hilos que llevaron al chavo a bailar extasiado hasta que al final cayó exhausto al suelo junto a sus tres amigos tan jóvenes como él. De la misma manera habrá bailado alguien con la música de Bátiz en 1968 o en 1971. De igual forma se debe de haber levantado el público para pedir una pieza más en un hoyo fonqui o en la Universidad Anáhuac el año pasado o en 1976. Javier Bátiz, 36 años casi, podrá haber envejecido, podrá haber dejado pasar el tren sin abordarlo, podrá haber desperdiciado su talento quedándose en un medio, el mexicano, donde tocar rock es morderse las uñas con las solas encías, mientras que Santana ascendía hasta el nirvana en los Estados Unidos con el mismo chacra rock que Bátiz y él tocaban en Tijuana. Lo que es muy cierto es que Bátiz sigue tocando magistralmente el blues. ¿Qué importa que sea lo mismo que tocó hace seis o quince años? ¿Qué importa que sólo cante en inglés o que ya no toque tanto en hoyos y sí en la Secretaría de Programación y Presupuesto? Javier Bátiz, polémico, ya bien con Baby o con Macaria o con los Finks o con Santana, siempre ha arrancado comentarios: oportunista, consecuente, decadente, magistral, honesto, comodín... lo cierto es que sigue haciendo lo que quiere y sabe hacer y no hace lo que no quiere hacer. Bátiz es un maestro en un medio donde los alumnos desertan cuando la primera oportunidad les guiña el ojo.

Beatles: Grupo inglés nacido en una ciudad provinciana dominada por los Tories y, por ende, tradicionalista. Lo suyo era tocar y cantar rock y eso fueron a hacer en 1960 a Hamburgo, en Alemania. Ver Pete Best y Richard Starkey, ver Grateful Dead. Leer *Noticias de las autoridades*, *Los Beatles o el mar*, *Vive pues la muerte agradecida*, *Lo único que yo quería era una respuesta civilizada* y *Autor busca epígrafe*.

Becaud, Gilbert: Cantor francés más bien bajito que toca piano. Estuvo en México en 1968 alternando en el escenario olímpico con Eric Burdon y Carlos Lico. Años después toca en el Festi-

29

val Internacional Cervantino. Leer *¿Joan Baez no es Joan Baez es Joan Baez?*

Beggar's Banquet (Banquete de los pedigüeños): Disco de los Rolling aparecido en 1969 donde viene "Simpatía por el diablo". Leer *Vive pues la muerte agradecida* y *Las piedras a tres caídas*.

Belén, Ana: Actriz, cantante y española que algún tiempo vivió en México. Oír "La puerta de Alcalá" y ver *Libertarias*.

Berry, Chuck: Ver *Voyager*, nave interplanetaria que, además de saludos en idiomas varios y la grabación de un concierto con música de Juan Sebastián Bach, llevaba, para beneficio del posible escucha reventado de antenitas, el "Johnny B. Goode". En 1988 aparece su autobiografía, dos años después lo acusan de andar filmando subrepticiamente mujeres sentadas en el baño. Leer *El otro nombre del rocanrol* y *Elvis dos décadas*.

Bethel: Ver festival de Woodstock y leer *No le compren leche a Max*.

Black Sabbath: Originalmente tocaban blues y el cantante era Ozzie Osbourne. Luego se van, como los Beatles antes, a Hamburgo. Un viernes 13 de febrero con un coctel letrístico de terror, muerte, ocultismo, lanzan en pleno decibel su primer disco. Tras ello: el éxito comercial. No falta, claro, quien, San Juan Bautista y afanoso en buscar etiquetas, les haya nombrado los padres del heavy metal. Leer *Nunca digas morir*.

Blake, William: Inglés, poeta y pintor nacido en 1757 y muerto en 1827. ¿Cuál es la diferencia entre ser místico y estar alucinado? Ver Londres, oír a Joan Baez y leer *Rocanrol del cielo y el infierno*.

Bley, Carla: Compositora, pianista, arreglista, directora de orquesta, jazzista y californiana. En México se publicó hace años —el libro se llamaba *Los usos de la radio*— el cuento "Mis noches con Carla" donde un personaje ensayista intenta establecer un paralelismo entre ella y Frank Zappa. Leer *Autor busca epígrafe*.

Blood, Sweat and Tears: Palabras del premio Nobel Winston Churchill; ver rock-busca-en-el-jazz-nuevas-propuestas. En 1996 el canadiense cantante David Clayton Thomas y Los sobrevivientes se presentan de nuevo con las mismas viejas rolas ("Spinning Wheel", "God Bless the Child", etcétera) en el festival de jazz de Cancún, Quintana Roo. Leer *Las piedras a tres caídas*.

Boone, Pat: Algo oscilante entre Eddie Fisher y Elvis que cantaba "Tenderly". Leer *Elvis dos décadas*.

Brasil: Campeón varias veces en el mundial de futbol. En 1969 tenía un presidente apellidado Garrastazu Médici que era furibundo partidario del totalitarismo y del Flamengo de Río de Janeiro. Leer *Sting y algunos hijos de la stingada*.

Brown, Charlie: En 1962, año en que muere William Faulkner, en que estalla la crisis estadunidense-cubana de los misiles, en que se independizan Jamaica y Argelia, en que los Beach Boys tienen con "Surfin' Safari" un gran éxito más allá de los límites de California, en que James Brown lanza el prendido *Live at the Apollo* y salen a la luz los libros *Bomarzo* de Manuel Mújica Láinez, *El siglo de las luces* de Alejo Carpentier, *La muerte de Artemio Cruz* y *Aura* de Carlos Fuentes, se puede conseguir la compilación *Happiness Is a Warm Puppy (La felicidad es un cálido cachorro)*, dibujado retrato que desde los cincuenta hace Charles Schultz de la cultura estadunidense de esta mitad del siglo XX. Leer *Todo tiempo bien pasado es mejor*.

Buenavista: Así, con esa palabra, es reconocida la estación de los ferrocarriles en la ciudad de México. La construcción original fue destruida en 1960. Después de eso todo, como con el país, ha sido el progresivo deterioro. Buscar detrás, a un par de cuadras, el Tianguis del Chopo. Leer *Todo tiempo bien pasado es mejor*.

Burdon, Eric: La primera vez que actuó en México fue en el Cine Metropolitan en la Olimpiada Cultural de 1968. La última vez que estuvo en México fue en el Teatro Metropolitan —el lugar es el mismo— al lado de Jefferson Airplane 28 años después (26 años antes habían tocado juntos en el Toreo de Cuatro Caminos cuando a alguien se le ocurrió celebrar el vigesimoquinto aniversario del festival de Woodstock miles de kilómetros al sur. War se presenta en 1998 también en el Metropolitan. Ver *Acostumbraba ser un animal...*, ver War, ver Carlos Lico, Hermanos Carrión y Gilbert Becaud. Si esta entrada fuera para Jim Morrison en México habría que ver en la H de Hermanos Castro. Leer *Aguas de Jamaica*.

Bushy, Ron: Rápido: ¿Quién más conformaba Iron Butterfly? Leer *Vive pues la muerte agradecida*.

Byrds: En un libro de la historia de la música en México el "inves-

31

tigador" por sus pistolas decidió poner a Roger McGuinn, a David Crosby, etcétera, tocando en CU con "Bob Dylan y su grupo Los Byrds" a principio de los setenta (al fin que estamos hablando de rock y con eso no hay tos). ¿Se mencionará en la biografía de este grupo californiano echado a andar con éxitos como "Mr. Tambourine Man" su concierto a piedrazos en el estadio de la Ciudad de los Deportes? Ver Hermanos Castro y Union Gap y leer *No le compren leche a Max*.

C

Caiga quien caiga: El título original de la película de 1972 de Perry Henzell es *The Harder They Come (Mientras más cabrón vengan)*. En los ochenta se exhibió en La Fábrica, cine club coyoacanense de corta vida en la ciudad de México. En 1991 se pudo ver en Guanajuato durante el Cervantino. El reggae pudo oírse en ese festival en 1988 con el grupo Chalice, dos años después con Unique Vision y en 1991 con Julian Marley. Leer *Aguas de Jamaica*.

Calais: Puerto del cual partió el barco que condujo a D'Artagnan hacia Inglaterra en busca de los herretes de la reina. A partir de 1994 existe un impopular túnel bajo el Canal de la Mancha. Leer *Sting y algunos hijos de la stingada*.

Canicas: Rola de Rodrigo González. Cuando cantó en el Palacio de los Deportes, el tampiqueño también interpretó su composición "Ratas". Leer *Rocanrol del cielo y el infierno*.

Canto Nuevo: Etiqueta de ancha manga que cubrió y en ocasiones encubrió a cantores preocupados por su entorno social en los setenta latinoamericanos. Nombre luego tomado por Televisa para bautizar una empresa que trajo alguna vez a Chicago. Leer aquí arriba Avándaro.

Caronte: Lanchero mitológico. Ver aquí abajo José Agustín.

Carr, Vicky: Aunque a muchos les parezca difícil de creer, esta persona alguna vez cantó jazz. En 1997 se presenta en México lo mismo en palenques que en un "festival cultural" en Zacatecas. Leer *Las piedras a tres caídas*.

Cerro de la Silla: Cuando el mago David Copperfield prometió que con acto de prestidigitación lo haría desaparecer, un regiomontano que no estaba para jueguitos de manos respondió que le rompería la madre. Al mago homónimo del personaje de Dickens le pasó también que en llegando a Monterrey se descompuso en el aeropuerto la limusina que iba a recogerlo. Luego de vanos intentos por echarla a andar, varios de los testigos se asomaron al asiento del prestidigitador y reclamaron su intervención: "¿Qué pasó cabrón? ¿No que muy pinche mago?"... Leer *Sting y algunos hijos de la stingada*.

Cervecería Cuauhtémoc: Primera compañía cervecera en México a la sombra del antes citado Cerro de la Silla. Leer *Sting y algunos hijos de la stingada*.

CIA: ¿Qué tuvo que ver esta agencia de espionaje con la epidemia del crack en los barrios negros de Los Ángeles? ¿Qué tienen que ver los contras con la venta al por mayor de esta droga y cómo se relaciona con el *Irangate*? Si hubiera un trío de siglas que definieran el tono de este siglo en el mundo serían éstas. Ver abajo Crack y Cuba. Ver Carter, ver Vietnam.

Ciudad Satélite: Una de las muchas consecuencias urbanas del alemanismo en México. Se identifica por las hermosas torres echadas a perder entre tanto anuncio sobre el Periférico. Leer *Me hubiera gustado estrellar una copa contra el suelo* y *Rocanrol del cielo y el infierno*.

Clapton, Eric: Guitarrista, bluesero, autor de "Layla", miembro de Yardbirds y Derek and the Dominoes, acompañante de Delaney and Bonnie, ganador de Grammies, coleccionista de obras de arte y partícipe en cuanto gran festival puedas imaginarte. Gusta de alquilar el Royal Albert Hall para hacer temporadas. En los noventa aporta tiempo y dinero al combate contra la drogadicción. Oír el álbum *24 Nights*. Ver Cream. Leer *Aguas de Jamaica*.

Cliff, Jimmy: Actor, cantor, autor. Bruce Springsteen cantó una rola suya y él participó con muchos otros en 1985 en el disco y libro contra el *apartheid* sudafricano *Sun City*. Leer *Aguas de Jamaica*.

Cochran, Eddie: Cantante y guitarrista nacido el 3 de octubre de 1938 y muerto en un accidente automovilístico el 17 de abril de 1960. Leer *Elvis dos décadas*.

Cocker, Joe: Cantante e inglés. Ha actuado en México. Ver Woodstock uno y dos. Leer *No le compren leche a Max*.

Cohen, Leonard: Cantante, compositor, poeta, traductor, novelista y canadiense. Oír "Famous Blue Raincoat". Suyas son muchas de las rolas que cantaron Judy Collins, Joan Baez, Joe Cocker y Jennifer Warnes. En los noventa, por cierto, un par de compactos llamados *I'm your Fan* y *Tower of Song* permiten a los cohenianos comprobar que con Cohen suenan muy bien las canciones de Cohen a pesar de los esfuerzos de gente como Don Henley, Sting, Suzanne Vega, Bono, Elton John, R.E.M., Pixies, James, John Cale y otros. Leer líneas abajo: José Agustín.

Collins, Judy: Cantante nacida en Denver, Colorado el 1º de mayo de 1939. Ver Leonard Cohen. Leer *¿Joan Baez no es Joan Baez es Joan Baez?*

Collins, Ray: Escuchar "El Bandido de la Lavativa de Illinois" en *Zappa en Nueva York*. Leer *Autor busca epígrafe*.

Colonia Roma: Leer *Pequeño pero emotivo discurso contra la nucleoeléctrica*.

Coltrane, John: Saxofonista y compositor, hito y mito del jazz. Ver aquí, abajo: José Agustín. Leer *La nana de Santana*.

Commonwealth: Matiz nominal de una arraigada realidad imperialista. Leer *Aguas de Jamaica*.

Concurso de Rock del Chopo: A principios de la década de los ochenta la universitaria administración del Museo del Chopo sacude sus porfirianas estructuras y con ellas las de la antigua colonia defeña de Santa María: se organiza un concurso de rock y se pone en marcha una suerte de mercado de pulgas alternativo sabatino donde el cliente tiene la oportunidad de cambiar y comprar publicaciones biblio y discográficas. Es el Tianguis del Chopo. Una década después, varios kilómetros recorridos en busca de un lugar dónde asentarse con tranquilidad, varias razzias después, el tianguis resiste y funciona cada sábado detrás de la vieja estación ferrocarrilera de Buenavista. Ver Tianguis del Chopo. Leer *Todo tiempo bien pasado es mejor*.

Cooder, Ry: El 26 de octubre de 1997 se lee en el *Reforma*: *Un día en la vida de Ryland Peter Cooder*:

Ry Cooder debe de haber cumplido 50 años el 15 de marzo de 1996, lo que quiere decir que cumplió 49 cuando estaba en La Habana grabando un disco que se llama como se llamó un danzón de Orestes López: *Buena Vista Social Club*. ¿Qué tan lejos está el Salón Los Ángeles de la estación de tren de Buenavista? No demasiado, aunque mucho más cerca está los sábados el Tianguis del Chopo. Fue ahí que unos meses después de muerto Rodrigo González, en septiembre de 1985, compré ese acetato usado y rayado. Se ve que el tamaulipeco lo escuchó y escuchó y escuchó y que algún gandalla de los que luego lucraron con su muerte dijo esta chingadera ya está vieja y fue y le sacó una lana y acabó en la reventa y yo llegué en el momento y al puesto exacto y pude hacerme por unos pesos de un disco de Ry Cooder que decía propiedad de Rodrigo González y de los recuerdos de las varias conversaciones que sobre él tuvimos el autor de "Canicas" y quien esto pergeña. ¿Tienes alguna influencia de Ry Cooder?, le pregunté en una de las noches cuando iba a acompañarme al programa de radio y estábamos oyendo tal vez *Paris, Texas*, la pista sonora de la película de Wenders hecha por Ryland Peter Cooder. Acabamos hablando desde luego de Nastassja y el amor compartido alguna vez. Por su parte el Salón Los Ángeles me demostró que Edith González está bien en lo que hace además de, por años, las múltiples variantes del placer hecho pasos, vueltas y vaivenes. Estoy cierto que Ry Cooder querría ir a escuchar lo que ahí sucede por las noches. Tal vez vaya. Es más, ya debe haber ido. No sería difícil para alguien que ha ido a buscar música al norte de la India, a Mali, a Hawai, a Okinawa, Bahamas, Galicia, Irlanda, la frontera mexicana y, claro, Cuba. Y si escribo esto es porque ahora Cooder, el que tocó en sus inicios con Taj Mahal y con Captain Beefheart y luego con los Rolling Stones, el que ha grabado con el hindú V.M. Bahtt, con Van Morrison, Eric Clapton, Steve Ray Vaughn, John Pattitucci, con el músico de Mali Ali Farka Toure, el gaitero gallego Carlos Núñez, el chicano acordeonista Flaco Jiménez, el guitarrista de Bahamas Joseph Spence, las leyendas blueseras John Lee Hooker y Sonny Terry, los celtas Chieftains, el nipón Shoukichi Kina y el hawaiano Gabby Pahinui, ya tiene medio siglo y viene al Salón Los Ángeles para presentar la edición nacional de un disco hecho originalmente en Inglaterra con la esencia del son tradicional cubano en él. Hace meses platicaba con el Capi, que se fue a estudiar a Nueva York luego de estar tocando el piano con buen éxito al lado de Betsy Pecanins, lo rico que sería hacer un disco invitando a Cooder a participar con ella. Ambos, Betsy y Rosino Serrano, estuvieron acordes y entusiastas: de este lado la interesante aventura de un Efecto Tequila ranchero blueseado a piano y cello como antecedente y un segundo como propuesta, de aquél uno de los músicos que con control absoluto de lo que puede hacer se ha dedicado sin tantos aspavientos a buscar en la música del mundo su nutriente, fincado en su manera de hacer blues y lo que ahí devino, de tocar la guitarra con cuello de botella, de revitalizar la mandolina, la tuba, la pianola, de incorporar la mbira y el acordeón y el ukelele y la mohan vina y la marimba y el banjo y cuanto instrumento sirva a un sonido, un estilo, un concepto que ha musicalizado películas lo mismo al lado de grandes continuadores de la tradición que de cantantes de rap como Ice T y Ice Cube. Tal vez este miércoles al mediodía en la colonia Guerrero —nunca mejor lugar— pudieran entablarse los primeros contactos.

Imaginémoslo. ¿O cómo debe ser? ¿Qué piensa Cooder para hacer un disco? ¿Qué pensó para realizar ese homenaje colectivo a la veta de la tradición antillana al lado de viejos hombres de mar y de son como el tresero Compay Segundo, el pianista Rubén González (que en agosto de 1998 es anunciado para actuar, ya en plena fama, en el Teatro Metropolitan defeño), el cantor Ibrahim Ferrer, el cantante y guitarrista del Cuarteto Patria Eliades Ochoa y el contrabajista Orlando López? ¿Por qué invitar a Omara Portuondo a participar en una de las canciones? ¿Por qué ese repertorio?... ¿Y por qué no? Si precisamente ésa ha sido una de las constantes transgresoras de Ry Cooder: preguntarse siempre inteligentemente por qué no y responderlo de la misma manera sin olvidar el sentimiento y posibilitando que éste se vierta en cada nota que cantan y tocan él y quienes con él tocan y cantan. Ahora que escucho su contrapunteado arreglo de viejo rocanrol de los "Zapatos de ante azul" pienso de qué hablaré el miércoles con Ry Cooder y que me haré de un disco hecho en México por la compañía Corasón con la estupenda música de Cooder o, mejor dicho, con el son cubano en toda su riqueza respetuosamente visitado por el californiano. Es raro que me pase esto. El más reciente compacto que conseguí del músico de Santa Mónica fue en una tienda de videos en Zacatecas donde tenían arrumbado su *soundtrack* de la película *Trespass*. Recuerdo un par de elepés que una mujer que me abandonó decidió devolverme sin que fueran míos. Uno tenía en la portada unas gallinas picoteando y otro tenía el "Blues del burgués" y, creo, "Buenas noches Irene". La bluesera pista sonora de la película *Crossroads* de Walter Hill me fue obsequiada dos veces en el mismo cumpleaños y yo dije al segundo que gracias que ya la tenía y el primero pensó que era a él, así que ambos se llevaron su respectivo obsequio y me quedé como el perro aquel y tuve que comprarlo. ¿Cuál será la particular historia de mi disco del Buena Vista Social Club? ¿Saldría en la película que de él hará Wim Wenders?... Oiga, señor Cooder, ¿no me lo autografía?

Cooper, Alice: Cantante nacido el 4 de febrero de 1948. Su nombre real es Vincent Furnier. Al estilo del Teatro Pánico años antes, este glamoroso espantasuegras bailaba con serpientes y también cantaba rolas de Bernie Taupin. Años después juega al golf y se organizan torneos en su honor. Leer *Autor busca epígrafe.*

Copilco: Leer *Las piedras a tres caídas.*

Corea: Lugar donde hacer la guerra para una generación estadunidense que enseñó a la de Vietnam lo que era según ella la paz. Leer *Vive pues la muerte agradecida.*

Costa, César: Originalmente cantante de rocanrol que luego modelaba suéteres de grecas interpretando baladas (una de ellas fue reinterpretada por Los Polivoces con éxito). Luego devino en conductor de televisión que en 1998 ocupa el espacio dominical tantos años en poder de Raúl Velasco. Con Elisa Robledo escribió una autobiografía con el título de *Llegar a ser*. Leer *Las piedras a tres caídas.*

Cotulla: Ver Texas. Leer *Me hubiera gustado estrellar una copa contra el suelo.*

Country Joe McDonald: Ver Woodstock, San Francisco y Janis Joplin. En 1982 recopila de ella el disco *La canción del adiós*. Escuchar "Me siento como que preparándome para felpar". Leer *No le compren leche a Max.*

Crack: Crisis económica en 1929; así se califica al jugador de futbol que tiene gran habilidad y es el nombre de una dañina droga basada en la cocaína, fumable y de moda en los ochenta. Ver CIA. Leer *La nana de Santana.*

Creedence Clearwater Revival: En la radio mexicana *La hora de los Creedence* resistió muchos más años que este grupo formado en 1967. Oír "Susie Q", "Cotton Fields" y "Proud Mary". Ver rock en California y leer, si se consigue, en el número cero (diciembre de 1970) de la revista *Piedra Rodante* el artículo

"¿Creedence sostiene al radio o el radio sostiene a Creedence?"
Ver abajo José Agustín y leer *Todo tiempo bien pasado es mejor*.

Cream: Efímera reunión de superestrellas (Clapton, Bruce y Baker)
que saca en 1967 el disco *Disraeli Gears*. Tres décadas después, cuando sale una caja con cuatro compactos llamada *Those
Were the Days*, Clapton es un buen muchacho limpio y excelente como su sonido en la guitarra, Bruce graba con Carla Bley y
con Golden Palominos y el baterista Ginger Baker, igual que el
baterista Charlie Watts de los Rolling, igual que Joe Jackson,
desde finales de los ochenta saca discos con jazzistas. Leer *Aguas
de Jamaica*.

Cuba: En 1997 la osamenta del Che, asesinado en Bolivia 30 años
antes, regresa al lugar todavía gobernado por Fidel Castro quien
en los cincuenta se levantó contra el dictador Batista. En enero
de 1998 el Papa Juan Pablo II visita la isla oficialmente. Ver CIA
y leer *La nana de Santana* y *Aguas de Jamaica*.

Ch

Chachalacas: Lugar playero al norte del puerto de Veracruz en el
Golfo de México. Leer *Nunca digas morir* y *Pequeño pero emotivo discurso contra la nucleoeléctrica*.

Chalice: Grupo de reggae de Jamaica que tocó con éxito en un
gran festival musical de Querétaro y un par de años después
regresó para recorrer el país. En 1988 participó en el Festival
Internacional Cervantino en Guanajuato. Leer *Aguas de Jamaica*.

Chapmann, Marc David: Producto del *American Way of Life* que,
además de haber sido policía, asesinó a John Lennon. Leer *Autor busca epígrafe* y *Lo único que yo quería era una respuesta
civilizada*.

Chapultepec: Bosque que alguna vez tuvo ahuehuetes y nombre
de canción interpretada en una película mexicana por Antonio
Badú y Mauricio Garcés. Muchos de los futuros rockeros ento-
naron en su infancia, del Tío Herminio, "Las rejas de Chapultepec". A finales de los noventa existe un grupo de rock que se
llama Los niños héroes. Leer *Sting y algunos hijos de la stingada*
y *Las piedras a tres caídas*.

Charles, Ray: Pianista, cantante y compositor nacido el 23 de septiembre de 1930 que originalmente acompañó a blueseros, formó una banda con jazzeros y luego hizo temas ubicables como antecedentes del rocanrol. En 1959 tiene su primer gran éxito comercial, "What'd I Say", tema que ha sido varias veces recreado por rockeros (oír el disco de Rare Earth en concierto). Charles ha tocado varias veces en México. En 1975, según me informó telefónicamente Corina Martínez desde la capital de Hidalgo, cobró 500 000 pesos por presentarse en el baile de graduación de la Escuela de Contabilidad y Administración de Pachuca. Entre los requisitos a satisfacer, Charles pidió un piano blanco de cola. Hubo que conseguirlo kilómetros al noroeste, en Huasca de Ocampo, probablemente en la vieja hacienda de beneficio mineral de San Miguel Regla. Pagado el flete y conforme el artista, abrieron fuego interpretando "Ey Lupe", los Rockin Devils con Blanquita Estrada como cantante. En 1998 Charles con Ravi Shankar reciben el premio Polar en Suecia. Ver Beatles y Leer *Elvis dos décadas*.

Chicago: Ciudad frente al lago Michigan, ventosa como Pachuca y como Zacatecas, pero con clubes de blues como el Buddy Guy's Legend y el Rosa's, lugares en los que toca el grupo mexicano Real de Catorce en el verano y el otoño de 1998 con este pergeñador al saxofón. Nombre de un viejo hoyo fonqui de la ciudad de México y nombre de un grupo nacido en 1967 que fusionaba rock con propuestas musicales del jazz que con los años —luego de que su cantante y excelente guitarrista Terry Kath se fuera al otro mundo jugando ruleta rusa— se sobrecargó, gracias a las propuestas de Peter Cetera, de melaza. Como muchos rockeros décadas después, lo que queda de Chicago graba un disco de jazz bailable: *Chicago Night and Day Big Band* (1995). Ver Avándaro, Blood, *Sweat and Tears* y Cream aquí arriba. Leer *Más allá del trimitivismo*.

Chicago Transit Authority: El primero (1969) y el mejor, según muchos, de los discos del grupo Chicago que ha estado algunas veces en México. La primera ocasión hubo portazo y escándalo. La última fueron presentados por Raúl Velasco en su televisada ceremonia dominical. (En agosto de 1998 son anunciados de nueva cuenta para actuar en la ciudad de México.)

China: Ver Mao, camisas Mao y mirar la película *El último emperador* de Bertolucci. En junio de 1997 Adam Yauch, del grupo

Beastie Boys, organiza un par de conciertos para protestar por la permanencia china en el Tibet. Entre otros anunciados para ese fin de semana en la neoyorkina isla Randall están Patti Smith, que reapareció en 1996, Radiohead, U2 y Alanis Morissette. Ver Tibet abajo. Leer *La nana de Santana*.

D

Davis, Miles: Hay un álbum triple llamado *The First Great Rock Festivals of the Seventies*, grabado en el tercer festival de la isla de Wight y en el Second Annual International Pop Festival de Atlanta que no fue en Atlanta sino en Byron, Georgia. Ahí, entre los nombres de Leonard Cohen, los Allman Brothers, Johnny Winter y Jimi Hendrix, está el de Miles Davis. Está el disco *Kind of Blue* y también el álbum *Bitches Brew*. Y está ése del final (*Doo-Bop*) cuando Miles y el rap. Hay también los que hizo con Charlie Parker y con Thelonious Monk y con Gil Evans (esto es, del Be-Bop al Cool). ¿Cómo explicar la música desde los cuarenta a los noventa sin él? En noviembre de 1997 un productor de Hollywood llamado Marvin Worth compra los derechos de adaptación cinematográfica de su autobiografía para poderla llevar a la pantalla. Leer *La nana de Santana* y *Sting y algunos hijos de la stingada*.

Davis, Ray: A principios de los ochenta había un programa de radio en México llamado *Oficio de poeta* que tenía como rúbrica de entrada la canción de los Kinks "De veras me atrapaste". Luego una película de Gerardo Pardo se llamó así. En 1968 salió el disco *The Kinks are the Village Green Preservation Society*. Un año después *Arthur*. Hay dos biografías, la de Ray se llama *X-Ray*; la de su hermano Dave, simplemente *Kink*. Los Kinks, sin tanto escándalo, 30 años después, siguen siendo. Leer *Todo tiempo bien pasado es mejor*.

Debord, Guy: El 21 de febrero de 1995 se publicó lo siguiente: No haré el recuento de quiénes porque no lo tengo aquí, pero estoy seguro de no equivocarme si afirmo que los miércoles, día ruin en muchos aspectos, a la gente buena le da por suicidarse. La muerte por mano propia de la que voy a hablar ocurrió la tarde del 30 de noviembre de año que pasó en Bellevue-La-Montagne, allí donde las aguas del río Loire comienzan a juntarse. El dueño del cuerpo del que dispuso se llama Guy Debord. En noviembre de 1994 murió también Jerry Rubin, pero no he de ocuparme ahora de aquel lunes 28, de su accidente, de su existencia, aunque sí, desde luego, hablaré una vez más de los sesenta al hablar del suicida.

—¿Y quién te ha dicho que Debord era bueno? —reclamará justamente algún lector.

Si bueno es aquel que denuncia premonitoriamente el cómo y la manera de la evolución de la sociedad contemporánea hasta llegar a este finisecular "sistema general de ilusiones" que es el capitalismo con todas sus desgracias, Guy Debord, nacido en París en 1931, era bueno. Guy diría en los sesenta los detalles desastrosos del naufragio continuo que es el mundo al final del milenio.

—¿Es verdad tal aserto? —preguntará el incrédulo aprovechando que el filósofo español Eduardo Subirats se encuentra entre nosotros y sabedor que fue él quien presentó a los hispanoparlantes algunos de los textos situacionistas en los setenta (*Crítica de la vida cotidiana*, Anagrama, Barcelona, 1973)...

—¡Pero ya quién habla de los situacionistas! —reclamará algún otro. Si no merecen más que esa pequeña nota aparecida en *La Jornada* el 2 de diciembre y ese breve e informativo texto que en *La Jornada Semanal* publicó Phillipe Cheron hace unas cuantas entregas. Nada o poco más.

—Todo eso murió con el 68 —agregará algún otro.

Hagámosle leer a esa tercia de necios, frases escritas y publicadas en 1963 y 1964 por la Internacional Situacionista creada en julio de 1957, entre otros, por Debord. Hallemos en su crítica, en su violencia, en su creatividad, su posible vigencia tres décadas después:

"La palabra movimiento político encubre, en la actualidad, la actividad especializada de los jefes de grupos y partidos que extraen la fuerza opresiva de su poder futuro de la pasividad organizada de sus militantes"... "Las palabras siguen siendo radicalmente extrañas. Ahí donde existe comunicación no hay Estado"... "El poder vive del encubrimiento. No crea, sólo recupera"... O esta cita tomada del libro *La sociedad del espectáculo* publicado en castellano un año después de la muerte de Francisco Franco (Castellote, 1976):

Si bien los burócratas tomados en conjunto deciden de todo, la cohesión de su propia clase no puede ser asegurada más que por la concentración de su poder terrorista en una sola persona. En esta persona reside la única verdad práctica de la mentira en el poder: la fijación indiscutible de su frontera siempre rectificada. Es al mismo tiempo la potencia que define el terreno de la dominación y la potencia que arrasa este terreno.

Guy Debord ha muerto. Igual que con la Internacional Situacionista el momento de morir fue decidido ("Nuestra época ya no debe escribir consignas poéticas, sino ejecutarlas"). El aire enrarecido de 1995 nos hace recurrir a su lectura: *La sociedad del espectáculo* de 1967, los *Comentarios sobre la sociedad del espectáculo* de 1988. Acaso acudamos al libro de Greil Marcus, *Rastros de carmín* (Anagrama, 1993), donde sectas medievales, punks, dadaístas y situacionistas nos dan una historia secreta del siglo XX.

Acaso miremos algún día la película de Debord, *Refutación de todos los juicios tanto elogiosos como hostiles*. Acaso aprendamos...

Derrama el vino: Canciones hay en la radio como "Orgullosa María" de los Creedence y "Susie Q" con ellos o con Johnny Rivers, "Stairway to Heaven" con Led Zeppelin y "Brown Sugar" con los Rolling Stones. Con ellas y otras pocas selecciones más está Eric Burdon con War cantando ésta. Leer *Aguas de Jamaica*.

Diablos Rojos del México: Equipo de beisbol donde estuvieron el Diablo Montoya y Leo Rodríguez y Ramón Arano y el Tawa Lizárraga y William Berzunza y el Avestruz Rivera y el Abulón Hernández. Para una generación las 7:30 era verdaderamente, gracias a la radio, una hora mágica: comenzaba la transmisión del beisbol desde el parque del Seguro Social. Leer *Todo tiempo bien pasado es mejor*.

Discoteca a go-go: ¿Qué diablos hacía ahí Toño Quirazco cantando "Jamaica Ska"?... Pues anteceder a las rancheras hermanitas Núñez cantando "Reconciliación". Leer *Todo tiempo bien pasado es mejor*.

Distrito Federal: En 1997, año en que muere Ernesto P. Uruchurtu, por fin se elige al regente mediante el voto, y resulta ganador el exgobernador de Michoacán, Cuauhtémoc Cárdenas. En 1968 el regente era Corona del Rosal, militar que había sido miembro del equipo de polo de Manuel Ávila Camacho. Leer *Los muros por asalto*.

Domino, Fats: Leer *Elvis dos décadas*.

Don Facundo: En la película *Tívoli*, dirigida por Alberto Isaac (realizador muerto en enero de 1998), Don Facundo (muerto también ya) da una buena explicación de las formas empleadas para domesticar a sus roedores. Leer *Sting y algunos hijos de la stingada*.

Don Gato y su pandilla: Leer *La nana de Santana*.

Dosal, Juan: Locutor, exfutbolista de los choriceros del Toluca y autor, entre otras demostrativas frases, de aquella que decía: "No llegó a la pelota porque dio un paso de menos". Leer *Todo tiempo bien pasado es mejor*.

Dug-Dugs: Grupo de rock mexicano. Leer *Más allá del trimitivismo* y *Postdata como quien traduce su rompecabezas en vez de armarlo*.

Dunas: Película. Ver Chachalacas. Leer *Nunca digas morir* y *Sting y algunos hijos de la stingada*.

Dylan, Bob: Un par de meses antes de cumplir 50 años, el 1° y el 2 de marzo de 1991, Dylan actuó en el Palacio de los Deportes defeño después de Los Lobos. En 1997, dos años después de que los Rolling Stones graben en vivo y desenchufados *Like a Rolling Stone (disco Stripped)*, la campaña echada a andar con fuerza desde los ochenta para que el rock reconquiste perdidos adeptos para el catolicismo, se ve coronada en Italia con un concierto del viejo exjudío Zimmermann ante el papa Juan Pablo II. Un par de años antes, en septiembre de 1995, Yusuf Islam, el actual nombre del viejo Cat Stevens, que manifestó estar encantado con la idea de que alguien cobrara la recompensa que el día del amor y la amistad de 1989 el Ayatolah Jomeini ofreció por la cabeza del escritor Salman Rushdie, graba un disco con partes del Corán musicalizado y episodios de la vida de Mahoma. En 1998 Leonard Cohen sigue en su monasterio zen en California mientras que gente como Amy Grant continúa vendiendo discos de rock cristiano. Muchos años antes de que Little Richard pretendiera la beatitud, José Mojica, galán del cine nacional, se metió de fraile en tierras de San Martín de Porres. Ver abajo

José Agustín y Palacio de los Deportes y, si no se quiere oír a Yuri cambiando al osito panda por el Aleluya, recordar la canción en el hit parade de 1965 "Dominique Nique Nique" o mejor aún la versión del "You've got a Friend" que en concierto en plena iglesia hizo de James Taylor Aretha Franklin como gospel. Leer *La nana de Santana*.

E

El martillito: ¿Alguien se acuerda de Trini López?... Tal vez el hijo de quien se acuerda de Andy Russell. Leer *¿Joan Baez es Joan Baez no es Joan Baez?*

Eleanor Rigby: Ver Beatles y Grateful Dead.

Equal Rights: Leer *Aguas de Jamaica*.

Escalante, Janice: Leer *El otro nombre del rocanrol*.

Escalera al cielo: La rola que en radio se pide desde entonces y hasta ahora para no fallarle. Zappa la grabó y en México la tocaba el sudbajacaliforniano guitarrista Daniel Tuchman. Ver Led Zeppelin. Leer *Nunca digas morir*.

Ese toro enamorado de la luna: Los infantes con voz de pito tipo Donny Osmond, Michael Jackson, Pedrito Fernández y Luis Miguel tuvieron ahí ibéricos antecedentes. Leer *Los Beatles o el mar*.

Estadio de la Corregidora: Campo que a pesar de haberle dejado buenos recuerdos al español Emilio Butragueño, tiene en el futbol mexicano la maldición de mandar a quien ahí juega como local a la división inferior. Ver Atlante y Querétaro. Leer *Aguas de Jamaica*.

Estadio de la Ciudad de los Deportes (luego Azulgrana, luego Azul): Además de juegos de balompié ahí se han celebrado conciertos que van desde el rock a la trova cubana. El lugar ha servido también para una boda de atlantistas irredentos y para una misa de rosario multitudinaria. Ver Byrds.

Estadio México 68: En los noventa el rector de la UNAM se negó a que ahí se organizara un festival de rock para Chiapas. Leer *Las piedras a tres caídas*.

Estatua de la Libertad: Ver la película *Dunas* y alguna portada de disco de Supertramp. Leer *Sting y algunos hijos de la stingada*.

Estrellas Infantiles: Programa televisivo en los sesenta donde los niños se enfrentaban a las cámaras y al ridículo para conseguir una bolsa de chiclosos Toficos. Ahí deben haber cantado por primera vez los Serranitos la canción "Papá ya no llegues borracho". Leer *Todo tiempo bien pasado es mejor*.

Everly Brothers: El 14 de octubre de 1957 su canción "Wake Up, Little Susie" es primer lugar de ventas en los Estados Unidos. Los Rolling Stones alguna vez fueron sus teloneros (también Jimi Hendrix lo fue de los Monkees). Leer *Noticias de las autoridades*.

Excélsior: Diario nacional cuyo nombre fue sugerido por J. del J. Núñez y Domínguez, periodista que luego hizo un libro llamado *Historia y Tauromaquia Mexicanas*. Ver Avándaro. Leer *Sting y algunos hijos de la stingada*.

Extraños en la noche: Canción exitosa en 1966. Ver Anka, Sinatra y Jerry Garcia.

F

Flammers (Los): Leer *Los Beatles o el mar*.
Flaubert, Gustave: Leer *Autor busca epígrafe*.
Follaje: Grupo de blues mexicano. Leer *Más allá del trimitivismo*.
Fox, Michael: Actor. Ver las películas *Volver al futuro*. Leer *El otro nombre del rocanrol*.

G

Ganja: La palabra que designa a la mota en jamaicano. Leer *Aguas de Jamaica*.
Garcia, Jerry: Jerome John Garcia nació el 1º de agosto de 1942 en San Francisco, California y Jerry Garcia murió el 9 de agosto de 1995. Tenía 53, varias dolencias y un tratamiento encima para desintoxicarse. Jerome John, hijo de español jazzero, forma su primer grupo bautizándolo con el largo nombre de Mother McCree's Uptown Jug Champions. Luego se llamarán The Warlocks. Necio en tocar como Chuck Berry de pronto se aficiona al country y toca el banjo. El primer disco de Grateful Dead —la

cuenta se va más allá de cien— es de 1967. En 1991 sale *Infrared Roses* y en 1998 un grupo formado por miembros sobrevivientes de Grateful Dead se niega a seguir tocando con ese nombre aunque toquen las mismas que cuando Jerome vivía (de eso te puedes enterar hasta leyendo la revista *Time* en los aviones). Jerry Garcia grabó con su guitarra en un disco del free-jazzero saxofonista Ornette Coleman y otro saxofonista proveniente de la improvisación libre y colectiva, David Murray, con su octeto grabó *Dark Star* en 1996, un disco con canciones de Grateful Dead como "Samson and Delilah", "One more Saturday Night" y "Estimated Prophet". Leamos *Las ropas diabólicas que los lagartos visten*: En 1966 —estamos hablando del año en que una nave espacial manda fotos de la superficie lunar, del año en que Elizabeth Taylor sorprende en la pantalla por sus vulgaridades lexicológicas a tanto clasemediero del gabacho con la película *¿Quién teme a Virginia Woolf?*, del año en que Raquel Welch muestra su capacidad histriónica como sus bondades pectorales en *Un millón de años antes de Cristo*, en que Andy Warhol vende etiquetas de sopa *Campbells* como arte y los Rolling triunfan con "Paint it Black" como lo mejor antes de que los Beatles le arrebataran a Frank Sinatra los micrófonos para desaparecer su "Extraños en la noche" con los compases de "Eleanor Rigby"... En el año 1966, digo, se acabaron de juntar en California los que iban a parecerle inseparables a todos los seguidores del rock desde que es rock; a todos, menos a la imbécil muerte inoportuna (la fotografía en el porche sanfranciscano de la casa 710 de la calle Ashbury donde vivieron en comuna en 1966, muestra a Phil Lesh, Bill Kreutzmann, Rod Pigpen McKernan, Jerry Garcia y Bob Weir). El nombre del conjunto es Grateful Dead...

¿Te acuerdas de la rola "Tocando a las puertas del paraíso"? Si te acuerdas nada más porque Guns and Roses la tocó en los noventa entonces estás pendejo. Es como acordarte de "Not Fade Away" nada más porque la hizo el malogrado Buddy Holly y no porque la recreaba Grateful Dead en cada concierto. Chingue su madre la parca. Escuchemos a Grateful Dead en el paraíso (1980) vestidos como John Travolta (*Alabama Getaway*). ¡Chale, Grateful Dead country!

Muerto Jerry Garcia el 9 de agosto de 1995, lo demás son homenajes de sus leales sobrevivientes. Los sesenta si no han muerto están en manos de gente (ahhh) como Paul McCartney (¡dónde carajo estás Frank Zappa!) y eso es sin duda —mirémosle cuchicheando con la reina Isabel (1996)— preocupante (la casa de Height Ashbury apareció hace unos años en la revista *Hogares y Jardines.* Frente al victoriano porche la mujer, esposa de un importador de vinos neoyorkino, sonreía satisfecha de su labor de restauración· —la energía dejada ahí por el último hippie huido al comenzar 1968 había sido absorbida por una monumental planta de sombra).

Escucho a Dead toda la noche y para amanecer pongo a Dylan, el papá de Jacob, cantando "Restless Farewell". Nomás no dejes de moverte mientras dices adiós: Jerry Garcia está muerto. En una barda del barrio puse una pinta que decía: *Dead are Dead...* Me la borraron. Al día siguiente me lancé a la calle a declamar en inglés y en español un poema del muerto escritor hippie Richard Brautigan:

The day they busted the Grateful Dead
The day they busted the Grateful Dead
rain stormed against San Francisco
like hot swampy scissors cuttin Justice
into the evil clothes that alligators wear.

El día que agandallaron a Grateful Dead
la lluvia atormentó a San Francisco
como cenagosas tijeras calientes confeccionando a la justicia
las ropas diabólicas que los lagartos visten.

The day they busted the Grateful Dead
was like a flight of winged alligators
carefully measuring marble with black
rubber telescopes.

El día que golpearon a Grateful Dead
fue como el vuelo de lagartos alados
midiendo con mesura mármol con telescopios
de goma negra.

The day they busted the Grateful Dead
turned like the wet breath of alligators
blowing up balloons the size of the
Hall of Justice...

El día que arrestaron a Grateful Dead
se tornó como el húmedo aliento de los lagartos
inflando globos del tamaño de la Corte de Justicia...

Y en esas traductoras labores estaba cuando me volví a acordar y me apañó la risa. Como decía el Yustis, personaje de *Vive pues la muerte agradecida*: "La calaca ronda mi buen: la calaca ronda".

García Saldaña, Parménides: Nacido en 1944 y muerto en 1982. Su libro *El rey criollo* (1970) es reeditado correctamente, 30 años después de haber sido escrito, en 1997. El epílogo lo escribe José Agustín. Leer *Mas allá del trimitivismo*.

Garvey, Marcus: Ver Poder Negro. Leer *Aguas de Jamaica*.

Gaytán, Bibi: Desafinada aunque bien proporcionada cantante-actriz plástica que casó ante las cámaras con objeto televisivo similar de sexo contrario para luego retirarse a las labores del hogar. Por falta de otros estímulos durante un par de años y varias páginas llevó a poetas y similares a cantar sus bondades en suplementos semanales. En 1998, como las segundas partes, vuelve. Ver arriba Avándaro.

González, Rodrigo: Compositor de Tampico que a su muerte, el 19 de septiembre de 1985, hizo que varios oportunistas se menearan. Éstos, olvidables, no lograron con sus atolondrantes jeremiqueos que lo hecho por Rodrigo se hiciera a un lado. A González le gustaban el huapango, Ry Cooder, Leonard Cohen y Bob Dylan, y en las fiestas cantaba en español varias de los Creedence. En 1998 Rafael Montero prepara un documental sobre él. Modesto López ha sacado varios discos suyos. Oír "Ratas" y "Canicas". Leer *Rocanrol del cielo y el infierno*.

Goody, Sam: Vendedor que hizo entrar a Zappa en contacto con Varese. Leer *Autor busca epígrafe*.

Grateful Dead: Leer *Vive pues la muerte agradecida*.

Guadalajara, Chivas de: Equipo de futbol tapatío con los colores de la bandera francesa, donde militaron, entre otros, el Zully

Ledezma, el Snoopy Pérez, el Willie Gómez, el Sammy Rivas, el Sheriff Quirarte y el Güero Friesen y que tiene la característica de estar hecho con mexicanos y dirigido muchas veces por extranjeros (de Arpad Fekete a Tuca Ferreti) y que, luego de ilusiones y expectativas nacionalistas, rondando por años la media tabla, resultó, dirigido por un exjugador brasileño, campeón en 1997. La cantina El golfo de Tehuantepec en Azcapotzalco tiene un mural de las Chivas con el equipo llamado en su momento el Campeonísimo. Al otro lado de la barra están los once hermanos del Necaxa. El dueño del abrevadero es hijo de español. Leer *El otro nombre del rocanrol* y *Vive pues la muerte agradecida.*

Guadalupe Hidalgo (Tratado de): 1848, fecha que a los políticos mexicanos les quitó territorio que administrar y que, obviamente, pasó de noche 150 años después a los conmemoradores oficiales. No falta el niño de primaria que a la pregunta de ¿quién fue Guadalupe Hidalgo?, responda que la costilla de don Miguel. Leer *Me hubiera gustado estrellar una copa contra el suelo* y *La nana de Santana.*

Guerra, Blanca: Fue secretaria y luego actriz y sigue siendo guapa. Dice que le gusta el jazz. Verla en la película *Eréndira*. Leer *La nana de Santana.*

Guiness: Marca de cerveza irlandesa favorita de los Rolling Stones. Leer *Las piedras a tres caídas.*

Guízar, Pepe: Hermano de Tito el de *Allá en el rancho grande.* Algún tiempo vivió en Veracruz, murió en el Distrito Federal en 1980. El 14 de febrero de 1997 sus cenizas arriban a la Perla Tapatía. Oír "Guadalajara" y "Chapala". Leer *Autor busca epígrafe.*

Guns and Roses: Conjunto que actuó en el Palacio de los Deportes. Ver Grateful Dead.

H

Haile Selassie: Causante de que en la colonia del Valle de la ciudad de México haya una glorieta de Etiopía y, consiguientemente, una estación de metro con ese nombre. Leer *Sting y algunos hijos de la stingada* y *Aguas de Jamaica.*

Haley, Bill: Blanco guitarrista de Detroit nacido el 6 de julio de 1927 y muerto el 9 de febrero de 1981, que acabó tocando con sus Cometas su "Rock del reloj" por enésima ocasión en la avenida Chapultepec de la ciudad de México. Si a alguien le afectó la aparición de Elvis, fue a él. Leer *Todo tiempo bien pasado es mejor* y *Elvis dos décadas*.

Hanky-panky: Baile de salón y modo terso de llamar a un exregente capitalino, político y millonario, profesor y mexiquense de apellidos Hank y González que fuera conocido también como Genkis Hank por los que sufrieron sus destrozos en la ciudad de México. Eran los Rockin Devils, grupo que sigue presentándose en los noventa, los que cantaban aquélla de "Bailemos todos hanky-panky". Leer *Todo tiempo bien pasado es mejor*.

Harrison, George: ExBeatle que en 1988 se junta con Bob Dylan, Tom Petty y Roy Orbison para crear los Traveling Wilburys. Años antes lo demandaron por, decían, haberse fusilado el tema de "My Sweet Lord". Años después Eric Clapton lo invita a tocar con él en Japón. En 1997 se opera de la garganta para ver si los tumores son benignos y le produce un nuevo disco a Ravi Shankar. Antes del 2000 un orate intenta apuñalarlo. Ver la película del *Concierto para Bangladesh*. Leer *Los Beatles y el mar* y *Lo único que yo quería era una respuesta civilizada*.

Hastings (batalla de): Ver historia de Inglaterra. En el estado de Nueva York, sobre el río Hudson, hay un pueblo con ese nombre en el que originalmente iba a ser enterrado el saxofonista Charlie Parker. Leer *Sting y algunos hijos de la stingada*.

Havel, Vaclav: Escritor, checo y presidente. Los Rolling Stones en 1998 se cooperan para que en un castillo de Praga haya un buen sistema de iluminación. Leer *Autor busca epígrafe*.

Hazme una señal: Traducción cantada por Roberto Jordán para deleite de las jóvenes que, al parecer, nunca experimentaron bien a bien lo que era un orgasmo. Leer *Todo tiempo bien pasado es mejor*.

Heavy Metal: Revista, género musical y película. Leer *Nunca digas morir*.

Hendrix, Jimi: Músico nacido el 27 de noviembre de 1942 y muerto el 18 de septiembre de 1970. Miles Davis finalmente no pudo grabar con él, como ambos habían planeado, y Carlos Fuentes citó su nombre en 1997 en un artículo periodístico donde habló del Che. La casa de Hendrix, en Londres, ubicada junto a la que alguna vez fue de Haendel, tiene a partir de ese año una placa conmemorativa. En México en 1997 la cantante Iraida Noriega y el guitarrista Emiliano Marentes hacen un disco con una rola suya, luego retomada y fusionada con una de Miles Davis por el grupo Sonora Onosón con el título de "Hijos de Buda". Leer *No le compren leche a Max*.

Henzell, Perry: Director de cine. Ver *Caiga quien caiga*. Leer *Aguas de Jamaica*.

Hermanos Castro: Arturo, Gualberto, Jorge, Javier. Ver Byrds. Leer *Los Beatles o el mar*.

Hernández, Luis Vivi: Fallecido cantante que se vestía de Napoleón y se anunciaba como show man presentándose en Orfeón a gogo. Leer *Todo tiempo bien pasado es mejor*.

Hip 70: Otro de los pequeños mitos de la cultura rocanrolera mexicana sobre la avenida Insurgentes. Se podía comprar, entre otro material, discos, incienso y revistas. Leer *Todo tiempo bien pasado es mejor*.

Holly, Buddy: Cantante y guitarrista texano nacido el 7 de septiembre de 1936 y muerto en un avionazo el 3 de febrero de 1959 junto con Ritchie Valens y Big Bopper. Oír la canción del día en que la música murió. Holly tuvo un éxito después de su muerte que se llamó "Ya qué importa" ("It doesn't matter anymore"). Leer la novela de William Keisling *Not Fade Away*, título tomado de otro éxito del rocanrolero, donde un muchacho de 17 años que piensa que es la reencarnación de Buddy Holly conoce a un general que piensa que le han ordenado lanzar al mundo una destructiva bomba nuclear. Ver Grateful Dead.

Hoffman, Abbie: Personaje pateado en Woodstock por Pete Townshend al grito de *Get the fuck off my stage*. Leer el libro *Revolution for the Hell of It*. Leer *No le compren leche a Max*.

Hopper, Dennis: Actor, director. Ver las películas *Easy Rider* y *Flashback*. Bob Dylan, que actuó de vaquero en la película de Sam Peckimpah *Pat Garrett and Billy the Kid*, actuó también, 17 años después, en la película *Backtrack* dirigida en 1990 por Hopper. Leer *No le compren leche a Max*.

Hotel de México: Edificio ubicado en el destruido parque defeño de la Lama. En los noventa se llama World Trade Center. Ahí alguna vez tocó Police y pintó Siqueiros. Años después, en la azotea, se hace una tocada de rock mexicano para la televisión. Leer *Sting y algunos hijos de la stingada.*

Hustle: Un horror para bailotear sin causar revuelo ni jalones en las puritanas conciencias setènteras. Leer *Todo tiempo bien pasado es mejor.*

Huxley, Aldous: Leer *Un mundo feliz.* Leer *Vive pues la muerte agradecida.*

Hyde Park: En julio 5 de 1969 se hace un concierto gratuito en este londinense parque. El primero con Cream había sido un éxito así que no había por qué no esperar lo mismo del segundo con gente como King Crimson, Alexis Korner y, claro, los Stones. En la guardia de seguridad estuvieron con sus motos Harley Davidson los Ángeles del Infierno. Mick Jagger leyó un poema de Percy Bisshe Shelley, y se recordó, ante más de 25 000 personas, a Brian Jones un par de días después de su muerte. Ver Altamont y leer *Las piedras a tres caídas.*

I

I Shot the Sheriff: Canción de Bob Marley puesta en boga en 1974 por Eric Clapton. Leer *Aguas de Jamaica.*

I Used to Be an Animal, but I'm All Right Now (Acostumbraba ser un animal, pero estoy bien ahora): Libro autobiográfico de Eric Burdon publicado en inglés en 1986 por la editorial Faber and Faber. Leer *Aguas de Jamaica.*

In-A-Gadda-Da-Vida: Limpia, forja, fuma, mata y sigue la música sonando. Después de esto los directores de las estaciones de radio que argumentaban que tu canción era mala porque duraba más de tres minutos, valían lo que se le unta al queso. *Los Simpson* recrean la rola magistralmente en el capítulo donde Bart pierde su alma por unos dólares. Leer *Vive pues la muerte agradecida.*

Infante, Pedro: Sinaloense y cantante. Parménides lo menciona en el relato de "El rey criollo" y un grupo mexicano de rock utilizó su foto en la portada del disco *Vale ver* en los ochenta. Leer *Autor busca epígrafe* y *Más allá del trimitivismo.*

Ionisation: Ver Edgar Varese. Leer *Autor busca epígrafe.*

Iron Butterfly: Se forman en 1968 para vender cuatro millones de copias del disco y luego de un otro disco en vivo pasar, cinco acetatos después, al limbo pero no al olvido. En 1993 alguien decide organizar un festival de rock en Cancún y anuncia que Iron Butterfly vive y se presentará al lado de resucitados como los Byrds y los Doors. Leer *Vive pues la muerte agradecida*.

Isla del Padre: Territorio con mexicanos ricos en el Golfo de México que pertenece a los Estados Unidos. Leer *Me hubiera gustado estrellar una copa contra el suelo*.

Iztacalco: Delegación política al oriente del Distrito Federal. Hay un danzón: "De Iztacalco al California". Leer *Las piedras a tres caídas*.

J

Jackson, Michael: Ver Carlos Salinas de Gortari y Pepsi. Ver aquí abajo María Sabina. Leer *Las piedras a tres caídas*.

Jah: Así llaman los rastas a Dios. Leer *Aguas de Jamaica*.

Jalisco: Estado donde está Autlán y donde nacieron Juan José Arreola, Antonio Alatorre, Agustín Yáñez, Juan Rulfo, Berna García y el Güero Aceves. En enero de 1998 un exgobernador es puesto en la cárcel acusado de lavar dinero. En un equipo de beisbol con ese nombre (los Charros), jugó en los sesenta Orestes Miñoso; en uno de futbol que se vestía como arlequines y que sustituyó al Oro de Amaury, Neco y Nicola Gravina, jugó Alcindo Marta da Freitas. En Jalisco salieron los Spiders y La Revolución de Emiliano Zapata y luego Sombrero Verde que iría a tornarse Maná que iría a tocar con Santana. Leer *La nana de Santana*.

Jamaica Ska: ¿Alguien sabe qué ha sido en los noventa de Toño Quirazco? Leer *Todo tiempo bien pasado es mejor*.

Jefferson Airplane: Grupo formado en 1965, que en los noventa, ya como Jefferson Starship, redivivo por tres de sus miembros originales toca en México. Ver California y leer *Todo tiempo bien pasado es mejor* y *No le compren leche a Max*.

Jis y Trino: Moneros tapatíos creadores del Santos y la Tetona Mendoza. Ver arriba Avándaro.

Johnny B. Goode: Uno de los primeros rocanroles a aprender. Ver Chuck Berry y Jaime López. Leer *El otro nombre del rocanrol*.

Joplin, Janis: Escuchar *Blues Down Deep*, homenaje discográfico a Janis aparecido en 1997 con la presencia de blueseros como Taj Mahal, Lonnie Brooks, Etta James y Koko Taylor (tres de estos cuatro han tocado en México). Leer *Me hubiera gustado estrellar una copa contra el suelo*.

José Agustín (Ramírez): Por años lo mejor que dio el rock mexicano al mundo se generó en la cancha literaria y él era el centro delantero, el cuarto bat en beisboleros términos. Para un homenaje nacional que en agosto de 1994, en Saltillo, Coahuila, le hicieron por sus 50 años se plasmó desde aquí el siguiente texto. Las cursivas son frases escritas por Agustín en la novela *Ciudades desiertas*.

¿Cuántos planos tiene un día cualquiera?
(con un epígrafe a seleccionar de *El Sargento Pimienta*)

Una mañana de agosto se levantó muy temprano. Se dio un baño. Eligió con gran detenimiento la ropa que había decidido ponerse y revisó su imagen repetidas veces en el espejo... No todos los días se cumplen 50 años. Uno tras el otro hasta formar medio siglo...

—¡El shock de vivir tantos shocks juntos! —le había dicho la China con evidentes afanes de joder y sin conseguirlo—. Ahora sí podrá usted escuchar jazz sin cargos de conciencia. (Una vez encarrerada esta mujer podía llegar a ser insufrible, así que no sé ni por qué respondía a la provocación si ya la conocía):

—¡Qué onda! A mí el jazz me pasa y me ha pasado el resto desde siempre. Sólo tú y los demás pasguatos de cubículo que te acompañan piensan que esa música es asunto de betabeles con más o menos cierto embarrón de icú aparente (creo que me excedí); así que sábetelo: desde siempre en el fondo de mi corazón un pequeño nicho guarda la veladora de Coltrane encendida y humeante... ¿Cómo la ves?

—¿La veladora de quién?

—...Olvídalo.

Había decidido aceptar la invitación por imbécil, por un sentido imbécil de imbécil compromiso. Sólo así en el Instituto entenderían que el día siguiente, el día de su quincuagésimo cumpleaños, sería suyo, suyo solamente, sin interrupciones y para hacer única y afortunadamente lo que se le hincharan los güevos.

—Qué güey —le dijo Ángel— ¿vas a ponerte a oír a Dylan todo el día?
—Es demasiada raíz, te va a picar —interrumpió Doris la posible respuesta—. Cómo serás pendejo, ¿no sabes comer sushi o te las das de macho?
—Salud, pues —terció el doctor Navarrete—. Que los cumpla y bien.
El hombre tenía el rostro lunar, muy blanco, de amplias entradas en el cráneo, bigote delgado, cortado escrupulosamente, y expresión un tanto cínica; quiso hablar con él, como siempre, de usted: "Acaso un cognac luego, cuando los demás se hayan marchado".
Decidió cortarlo. ¿Por qué razón, con todo este tiempo estudiando juntos, odiándose, detestando las investigaciones del otro, los trabajos, las ponencias, ni la China ni el doctor te tuteaban?
Se puso de pie abruptamente:
—Salud, pues —brindó—. Y gracias a todos, en verdad.
La China inició el aplauso y el gringo Wayne, que había venido por lo de la investigación de los jóvenes valores de la literatura mexicana, comenzó un *Forjisayoligudfelou* que gracias a Cristo en la cruz, a Marx en desgracia y a un cutáneo nacionalismo medio pedo a punto de resucitar ante la proximidad de septiembre y sus fiestas, no continuó.

El joven levantó la vista del papel. Era más que evidente quién era el autor del fragmento impreso recién leído. Tomó su marcador y puso una cruz en el cuadro al lado del nombre. Las otras tres opciones correspondían a un romántico italiano influido por D'Annunzio, a un isabelino de apellido Ford y a un chicano nacido en los cincuenta con claras reminiscencias del autor marcado. Caminó a la mesa. Una horrenda mujer de gafas infinitamente mayores que sus ojos de ratón hambriento recogió las hojas.
—¿Están todos sus datos? ¿Está seguro? —preguntó con la voz chillonsísima que su rostro merecía.
—Sí —respondió—. Su nombre era Feliciano Aurelio Felguérez Dávila de la Santa Cruz y bien que se había enseñado a que

todo estuviera claramente escrito para no volver a tener los añejos problemas venidos desde su certificado de primaria.

Están todos: 18 años, 16 de enero de 1974, primaria, secundaria, preparatoria, letras en la Fac...

—Está bien, está bien, no me los necesita recitar jovencito. En caso de que se le elija lo llamaremos. Sépase que hay muchos concursantes y sólo faltan doce programas para que acabe el año y, en honor a la verdad, usted está muy chamaco y como que su tema... ¿Sí me entiende, no?... Pero no se preocupe, yo no soy quien decide.

Feliciano salió tranquilo. Satisfecho. Seguramente lo llamarían. Nadie estaba más enterado que él sobre el asunto. El ave de mal agüero horrendamente miope se podía ir a podrir a los pinches infiernos. Los 64 000 iban a ser suyos, que ni qué.

A pesar de los esfuerzos, las tácticas de distracción, los escapes fallidos, las múltiples despedidas, ahí estaba: el doctor Navarrete permaneció en la mesa hasta el final. No había manera de escabullirse. Se había venido a sentar justo enfrente. Ambos le dijeron adiós a Doris, como siempre, la última mujer en irse.

—¿Y ora a éste qué le picó? —te dijo la mujer antes de darte un beso en la mejilla—. Pa mí que te quiere dar tu regalito de cumpleaños —agregó irónica y haciendo un gesto vulgar con las dos manos antes de lanzar la última carcajada de la noche.

—Mire, le he pedido que se quedara porque necesito un favor. Yo sé que usted me puede ayudar. No sé si sepa que desde hace un tiempo soy asesor del programa del premio de los 64 000—. El doctor buscó en tu rostro alguna reacción, una mirada, un gesto de posible sarcasmo, algo. Luego continuó—. Ahora, y le voy a suplicar la mayor discreción, ha llegado a mi escritorio un tema del que no me siento seguro (claro, pensaste, si tú te quedaste en Juan Boscán, en Garcilaso cuanto más) y yo sé que puedo contar con usted. La verdad que ignoro qué sucedió. Normalmente este tipo de propuestas no pasan de la primera revisión. Siempre se quedan los clásicos de la cultura universal que son los que quedarán siempre. ¿Verdad?

El doctor volvió a callar para calibrar tu reacción ante la frase. Dio un sorbo a su trago y continuó ante tu silencio.

—Se ve que el tipo sabe. Es un jovencito, un estudiante, ahí tengo su examen de entrada para que lo lea. ¿Qué me dice?, le tocarán 5 000 del águila pagados en cuanto usted me dé el cuestionario completo. Sólo que urge.

No sabías qué contestar. El dinero era bueno, muy bueno. Además nadie se enteraría que andabas haciendo esos numeritos. Pero tú cumplías 50 años en unas horas y no ibas a dedicar ese día tan perfectamente planeado en solitario para ponerte a trabajar y menos en eso. Sólo que esperara hasta el lunes.

—Salud pues —volvió a decir con la sudorosa palma de la pequeñísima mano sosteniendo la gorda copa—. Por nuestro trato y nuestro secreto.

(Indudablemente, pensaste, Doris tiene razón: este Navarrete es más que puto, reputo): Salud.

—Para mañana a primera hora tendrá usted todos los papeles y las formas que hacen falta ahí en su casa. Y oiga, no se lo he dicho, pero no puedo creerle la edad. Es usted un perfecto tragaños. ¡Quién supiera lo que hace para mantenerse así!

Estuviste a punto de decirle que acostarte con mujeres acaba menos, pero no tenía caso, así que te limitaste a sonreír. Él te abrazó.

—Felicidades otra vez, por su tostón —añadió confianzudo y casi pedo.

—¿Y esta chingadera qué es? —preguntó a su secretario particular el organizador del homenaje.

—Es la ponencia del fulano ese de provincia que quiso venir a última hora.

—Pues ésta ni es ponencia ni es nada. Bueno, sí es, pero no te lo voy a detallar por respeto. Mándale un fax y dile que se canceló su participación por no haberse inscrito a tiempo pero que le agradecemos infinitamente el esfuerzo y que ya le mandaremos unas memorias si por favor nos confirma su domicilio.

Era inútil. El fulano ya había salido de su casa, ya había llegado a la terminal, ya había montado al autobús, ya estaba ahí a punto de tocar a la puerta de la oficina 600 kilómetros después y con un portafolios grande, negro, bajo el brazo 24 horas antes exactamente del inicio programado con meticulosidad: el homenaje...

Don Pedro Ferriz leyó casi todo lo escrito con algunos *biiips* obvios y sonoros sobre las que él consideró, en una revisión fuera del aire, malas palabras:

—Y ahora, por 64 pesos, ¿en qué corriente se inscribe nuestro autor, por no decir que inaugura verdad?... ¿cuáles son sus características, claro, las de la corriente?... ¿en dónde nació nuestro autor?... ¿cuál es su apellido?... ¿a qué libro corresponde el fragmento que acabamos de leer y de quién es el epígrafe y cuál es éste?... y por 64 pesos, ¿qué marca de cigarrillos fuma nuestro autor?...

—Una nueva política del lenguaje, una sintonía con el arte de nuestro tiempo y una nueva velocidad narrativa definirían apenas y en muy grandes rasgos a la llamada literatura de la onda, aunque ya la etiqueta es de una estrechez insoportable por no decir nauseabunda. El libro es una versión en cortísimo tiraje que apareció en papel de caña en Santiago Tuxtla, Veracruz, de *Toda vida es un robo*, los cigarros son Alas verdes, nació en Acapulco, aunque hay una versión de que nació en Guadalajara y el epígrafe es del canadiense Leonard Cohen y dice: "Como un pájaro en el alambre, como un borracho en un coro de medianoche, he tratado a mi manera de ser libre..." Ah, y Ramírez... se apellida Ramírez, como los calzones y como el Huracán.

...El grito de "¡Perfectamente bien contestado!" lo despertó. Se desperezó y tiró el libro con el que se había ido a la cama. Puso el pie derecho sobre la alfombra y con un movimiento dirigió sus pasos a la cocina no sin antes pasar por el estéreo. Su primera canción cumplida la mitad de la centuria tenía que ser especial. Zappa, los Rolling Stones, Van Morrison, Dylan, Wagner, Gesualdo, Rodrigo González, Beefheart, Bach, Clapton, Howling Wolf, Burdon, Love and Rockets, Beatles, Penguin Cafe Orchestra, Charlie Parker, Thelonious, Cohen, los dedos recorrían las fundas con agilidad. Sacó uno, lo puso a sonar y se preparó un café. Era temprano y todo estaba bien. Se ajustó las gafas, levantó del suelo el ejemplar de *Ciudades desiertas* y lo puso sobre los demás incluido su *De perfil* autografiado. Acto seguido comenzó a teclear el final del ensayo tantas veces planeado, sabido, saboreado. En algún momento de la noche le habían asaltado las palabras:

La literatura mexicana de hoy —dijo hace unos días un joven escritor con un no tan joven comentario— *debe de andar mal cuando José Agustín sigue estando a la vanguardia...*

Puede ser que ande mal eso que este joven entiende como *la literatura mexicana de hoy* —escribió—, lo que sí sé de cierto es que nuestro escritor tapatío-acapulqueño-narvarteño-cuauhtleco, más joven todavía que los detractores comentarios, anda como Santana, como los Rolling Stones, los Grateful Dead, sus admirados Dylan y Cohen, vivo, bien, actual, productivo y consecuente. Como dijo Caronte: "los muertos son aquéllos".

La frase le gustó. Apretó la tecla salvadora y dio un nuevo trago a su café: Los muertos son aquéllos.

Juan Gabriel: Michoacano juarense autor de pretextos para desgañitarse en toda graduación universitaria que ha llegado a su final. Leer *Autor busca epígrafe.*

Julissa: Cantante que quería ser la consentida del profesor, actriz en la película *Los caifanes* y productora teatral de asuntos como *Jesucristo superestrella* y *Vaselina.* Leer *Todo tiempo bien pasado es mejor.*

K

Kaomi: Ver indígenas de Brasil. Leer *Sting y algunos hijos de la stingada.*

Kennedy, John F.: Muerto, según contaron, a manos de Oswald muerto, según contaron, a manos de Ruby, hechos que luego contaron en película de exportación dirigida por Oliver Stone y basada en la clásica historia de la polaca gringa. Otro John Kennedy de apellido Toole escribe una divertidísima novela llamada *La conjura de los necios.* Luego conecta su escape al interior del auto, echa a andar, muere sin ver su libro impreso. Leer *La nana de Santana.*

Kesey, Ken: Ver LSD, *Atrapados sin salida,* y literatura y contracultura en los sesenta. Leer *Vive pues la muerte agradecida* y *Como quien traduce su rompecabezas en vez de armarlo.*

Kinks: Grupo inglés formado en 1963 por los Davies, Mick Avory y Pete Quaife. Van Halen hace una buena versión de "You Really Got Me". Ver *De veras me atrapaste* y Ray Davies.

Kiss: ¿De qué tamaño es la lengua de Gene Simmons? Años después luchadores enanos saldrán en la televisión con máscaras similares. Ver productos vendibles en los setenta y sus consecuencias con hartos seguidores ya creciditos. Leer *Todo tiempo bien pasado es mejor*.

Krenak, Aylton: Ver Unión Nacional de Indígenas en Brasil, y leer *Sting y algunos hijos de la stingada*.

Kravitz, Lenny: Guitarrista que deja ver, en los noventa, que efectivamente los sesenta cumplen treinta. Ver Madonna y leer, luego de oír la versión de "Give Peace a Chance" de Kravitz, Cómo suena Lennon sin John Lennon.

Kuti, Fela Anikulapo: Saxofonista, tecladista, director de orquesta y músico nigeriano hijo de feminista, nacido en octubre de 1938 y muerto en agosto de 1997. Ver jazz-rock en África con música bailable basada en tradiciones yoruba y textos cuestionantes. Ver Ginger Baker, ver Sida.

L

La encuerada de Avándaro: Oportunidad para que el periodismo amarillista se ensañara. Hubo una rola del Three Souls in my Mind y una entrevista en *Piedra Rodante*. Ver Avándaro aquí arriba.

La marca de la bestia: Ver reggae y México al terminar cada sexenio. Leer *Aguas de Jamaica*.

La Pantera: Estación radiofónica rockera (590 AM) que sus dueños dejaron morir y que al final de los noventa como Lázaro echaron a andar de nuevo. Leer *Todo tiempo bien pasado es mejor*.

Laguna Verde: Hay una canción del veracruzano Combo Ninguno. Ver Sapa. Leer *Pequeño pero emotivo discurso contra la nucleoeléctrica*.

Leary, Timothy: Su muerte en mayo de 1996 es prevista y vista por Internet. En 1962 le avisa a los estadunidenses que los soviéticos, si hubiera una conflagración, estaban preparados para echar ácido lisérgico en las reservas gabachas de agua potable. Así, todos viajarían mientras el oso de Moscú tomaba el territorio. Preparémonos, decía Leary, tomemos LSD, enfrentemos nuestro karma y al mismo tiempo frustremos a los rojos. Su autobiogra-

fía se llama, como la película donde actúa Hopper, *Flashback*.
Leer *Vive pues la muerte agradecida*.

Led Zeppelin: Se forma en 1968 para que oigas desde 1972 "Escalera al cielo". En septiembre de 1980 se muere John Bonham, el baterista. En agosto de 1995 se anuncia que Robert Plant y Jimmy Page tocarán en el Palacio de los Deportes defeño el 23 y el 24 de septiembre. Leer *Nunca digas morir*.

Legalize it: Disco de 1976. Referencia evidente de Peter Tosh a una actitud que parece ser la más inteligente hacia la marihuana, aunque claro, no es negocio. Leer *Aguas de Jamaica*.

Lennon, John: Esposo de Yoko Ono, víctima de Mark Chapman. En diciembre de 1994 una carta suya criticando a McCartney es subastada en California por 92 000 dólares. En 1995 un cuaderno de 22 dibujos suyos hechos a los 18 años e intercambiados a Helen Anderson por un suéter amarillo costó, según la galería londinense de Sotheby's y según lo informó el diario madrileño de *El País* (3 de septiembre de 1995), entre 15 y 23 millones de pesetas. La misma fuente habla del precio de unas lennonianas gafas rotas: 380 000 pesetas: Leer *Lo único que quería era una respuesta civilizada* y ahora mismo aquí:

Cómo suena Lennon sin John Lennon

Otro ocho, maestros: Yo soy él y tú eres él y tú eres yo y estamos todos juntos. Si nosotros no éramos John Lennon al menos él era (o nos lo hicieron creer) nosotros. 8 de diciembre y fue una vez más "la hora del recordatorio" (¿cuándo entró la música de Lennon a la programación cotidiana de Radio 620, Radio 13, Radio Mundo, Radio Chapultepec y demás estaciones vivas y muertas?) Hinquemos nuestros dientes y rostros en la más dura carne: la desnudez de la nostalgia. Si el sueño ha terminado al menos la vigilia nos da chance. La Virgen de la Concepción ha cedido su día y estoy seguro de que Bjornstjerne Bjornson, poeta noruego ganador del Nobel en 1903, nacido un 8 del mes último, no la armará de tos desde ultratumba. 8 de diciembre y Marc David Chapman continúa en el bote. Aquello fue un domingo. Un domingo 8 de diciembre: EL DOMINGO 8 DE DICIEMBRE. En 1997 el 8 de diciembre cae en lunes. Así que qué mejor que grabar otra cinta o "quemar un compacto" para averiguar a nuestro modo cómo suena Lennon sin John Lennon un lunes casi a fines de milenio.

¿Cómo suena la música de Lennon y la música que hizo con su entonces carnal de nombre Paul, su otro viejo yo de días perdidos, el sobreviviente y ganón vegetariano de aquel naufragio, el probable condenado a productor de derelictos que estuvo en la ciudad de México y cruza con un pastor inglés la vieja calle de la abadía y hace oratorios sin saber qué dice ahí en el papel pautado y es un caballero como también lo fue Sir Walter Raleigh y salió animado como dibujo en el programa de *Los Simpson*. ¿Cómo suena la música que Lennon hizo con Yoko, la japonesa que en 1997 presentó una instalación en Chapultepec, la que cantó con él en el gran circo de los Rolling Stones en 1968? Preguntemos: ¿qué tal anda tu sueco? Sólo si está al tiro entenderás la letra de la rola cantada por Dan Hylander y Py Bäckman. Se llama "Lat Julen Forkunna" (Frid pa Jorden) aunque los que la oyeron en 1972 en el disco *Shaved Fish* entienden que ésa se llama "Happy Xmas" (War is Over). Esto se grabó el 30 de noviembre de 1985 en Estocolmo en un concierto contra el *apartheid*. Ahí mismo Eva Dahlgren y Anders Glenmark tocaron "The Long and Winding Road" de John y de McCartney, algo que el baterista mexicano Fernando Toussaint gustaba cantar en público en 1984 poco después de haber grabado un disco con su nombre. Años después, en un compacto grabado con Palmera, la aportación de Lennon y de Paul a la discografía de Toussaint sería "Come on Baby Drive my Car". Pongamos en el caset las tres piezas registradas y continuemos con "Spooky Tooth", el espantoso diente inglés tantas veces empleado por aquel locutor de tono pachecón —excesos del rever aún usados por aficionados metidos a producir— que en Radio Capital de la ciudad de México hacía un programa llamado *Vibraciones*: Escuchemos "I'm the Walrus". Acto seguido incorporamos a Betsy Pecanins que saca en México un compacto de nombre *Sólo Beatles* basándose en un espectáculo que en 1995 montó (antes en el disco *Nada que perder* había incorporado con Guillermo Briseño una versión de "Con una ayuda pequeña de mis amigos", canción que años antes había grabado en *Soul Sacrifice* Carlos Santana). Hay un grupo de blues orientado al gospel, se llama The Holmes Brothers y en 1996 grabó una versión de la fresa canción "And I Love Her". Insertemos más tarde (Yin y Yang) a Tina Turner cantando "Come Together" y a una mujer de nombre Beatriz Marín que hizo un espectáculo al lado del pianista Juan José Calatayud y que canta, más cercano al lieder que al rock, "Hey Jude" (a finales de los sesenta esta pieza por cierto y también "Lady Madonna" fueron grabadas en Orfeón por el jazzista cordobés en un disco llamado Jazz Barroco). Clavados en "Hey Jude", el primer éxito sencillo de la naciente y sesenta y ochera compañía Apple (sí, nene, como el nombre de tu computadora), insertémosla según la banda de Tepetlixpa en el Estado de México. Luego incorporemos tras oír a Celia Cruz interpretando en 1996 el "Obladí Obladá", a Joe Cocker en 1969 cantando "She Came in Through the Bathroom Window" (un año antes había grabado su éxito de Woodstock "With a Little Help from my Friends") y después de añadir a Jaco Pastorius tocando el "Blackbird" que grabó en 1981 oigamos la voz de Luis Echeverría: es Naftalina —el grupo donde Federico Arana da rienda suelta a su ingenio y corrosiva mala leche— con, entre otras, la música del "Sargento Pimienta", pero la letra dice "Club de admiradors, dors, dors, dors... que Morrison pa'cá, que Morrison pa'allá"... Sí, también el 8 de diciembre se recuerda que nació uno de los imanes del turista en el parisino cementerio de Pere Lachaise. (No, Porfirio Díaz está en Montparnasse.)

Mientras escuchamos rock sueco con Imperiet en vivo tocando "Cold Turkey" recordemos que John Lennon murió el mismo día en que Morrison debía de cumplir años de nacido, el día en que años más tarde murió Tom Jobim (por cierto en la cinta puedes poner a Elis Regina interpretando a los Beatles), el día en que Greg Allman, el hermano de Duane, nació años antes. Hoy, a los 17, 12, 22 años caigamos en la cuenta: Lennon fue Lennon y es el Lennon que los medios de comunicación han decidido guardar en su seno protector. ¿Cuántos homenajes se han hecho desde aquel 8 de diciembre del Edificio Dakota en Central Park? Los que sean: el próximo año volveremos a las andadas. El cuarto de hotel donde Ono Lennon y Yoko guardaran su desnudez con sábanas y flashes fotográficos es hoy sala oficial de matrimonios. Un gordo juez de paz nacido en Amsterdam oficia entre sus muros costosas ceremonias de enlace. ¿A cómo está el florín? No lo sabe Jaco Pastorius muerto a patadas en Florida. Escuchemos otra vez "Blackbird" pero ahora en la versión de Crosby, Stills y Nash. Ubicados en el lisérgico recuerdo pongamos al muerto Jerry Garcia y su "I Saw Her Standing There". Keith Moon, otro que ha estirado el rocanrolero choclo de ante azul grabó una versión de "Cuando tenga 64 años" y Tuck y Patty grabaron "Honey Pie" y Sergio Mendes con su Brasil 66 "Daytripper" y los dos veces oídos en México U2 "Helter Skelter" y en el segundo Woodstock tocaron otros hermanos, los Neville, el "Come Together" que en un circo de la ciudad de México hace unos años empleaban para anunciar el acto de un par de siameses que hacían malabarismo. Oigamos a otros hermanos, los Johnson, tocando "Hey Jude" como sigue tocándola McCartney. Escuchemos la reunión de estrellas que Lenny Kravitz hizo en 1991 cuando la aberrante Tormenta del Desierto hizo que una vez más se cantara con razón "Give Peace a Chance". Asistamos a un concierto guitarrístico del académico contemporáneo y cubano Leo Brower interpretando a loj bitlej. Oigamos al brasileño Caetano Veloso cantando "Imagine". ¿Cuántas versiones hay de esta canción además de ese disco boliviano donde la tocan con quena y charango? ¿Cuántas se escuchan en las radios del mundo cada 8 de diciembre poco antes de un cursilón comentario de nostálgico locutor? El camino para averiguarlo es largo y sinuoso y probablemente no tenga caso. En lo que lo hacemos escuchemos a los Blues Travelers y su versión de "Imagine", oigamos la del guitarrista Mark Knopfler... No. No es difícil averiguar hoy día cómo suena Lennon sin John Lennon. Llenarás tu día en esa indagación discográfica. Acompaña tu estadía en el gabinete con unos auriculares que te permitan oír la guitarra y la voz de Eugene Chadbourne interpretando "A Day in the Life" o "Dear Prudence" con Samm Bennett and Chunk. Ésta es una grabación en vivo en el neoyorkino Knitting Factory lo que, para muchos, quiere decir simplemente vanguardia (del free-jazz al más crudo rocanrol pedales mediante) en un compacto de 1992 llamado *Downtown Does the Beatles Live* que incluye rolas como "Being for the Benefit of Mr. Kite" y "Eleanor Rigby" con Les Miserables Brass Band, "Why Don't We do it in the Road" con Lydia

Lunch, "We Can Work it Out" con King Missile o "Don't let me Down" con Arto Lindsay, Marc Ribot y Joey Baron, todos en instrumentos como los Electronic Trumpads, el banjo tenor, el *walkman*, la tabla, el acordeón, el clarinete, la tuba, el trombón, el corno francés, la lira eléctrica y el cello. Si quieres termina tu caset con Ringo Star cantando. La rola es de John Lennon: "I'm the Greatest". Soy el más grande... Si no quieres no.

León: Zapatera ciudad en la que cantan a José Alfredo cada que ganan los Panzas Verdes y en la que alguien recordará a Santana. En los noventa el consejo cultural local organiza buenos conciertos de música alternativa con solistas como Diamanda Galas, compositores como Phillip Glass y diversos grupos nacionales e internacionales. Leer *La nana de Santana*.

Lewis, Jerry Lee: Libra, pianista y de Louisiana. Oír "Grandes Bolas de Fuego" y leer *El otro nombre del rocanrol*.

Little Richard: Rocanrolero, pianista, bisexual y pastor evangelista en Los Ángeles, California. Actuó en México varias veces en centro nocturno. En 1995 se anuncia que Terence Trent d'Arby le encarnará en la película biográfica *The Quasar of Rock*. Ver Prince. Leer *El otro nombre del rocanrol* y *Elvis dos décadas*.

Londres: Ciudad donde está Abbey Road y donde estudió inglés para aprenderse una rola de Eric Burdon, Alejandro Lora. William Blake le escribió un poema y lo cantó y grabó siglos después Joan Baez. Leer *¿Joan Baez no es Joan Baez es Joan Baez?* y *Más allá del trimitivismo*.

López, Jaime: Autor de rolas e hijo de militar nacido en Matamoros en enero de 1954. Vivió, antes de arribar a la ciudad de México, en Cerro Azul, Veracruz (oír "Nunca me he llevado con el pizarrón", rola basada en "Johnny B. Goode" de Chuck Berry) y en Guadalajara. En 1997 saca un libro que se llama *Lírica* (ediciones Cal y Arena). López le va a las Chivas (Gerardo Bátiz le dedicó una canción, grabada ya, que así se llama y una vez escribí un artículo con tal título) y en 1994 se presentó con dos viejos integrantes del grupo Mamá-Z, en el Festival Cervantino. Lo conocí hace mucho. Era una fiesta en Coyoacán. Jaime estaba al lado de la que había sido mi adorada maestra de pintura en el kinder (y que es mamá de una chamaca de la que me enamoré ya en primaria y que en 1998 graba, con el mencionado Bátiz, un nuevo disco llamado *Ah qué la canción*). Más tarde, con el tiempo y el mutuo conocimiento, comenzamos a montar cosas juntos (López y yo). Presentamos en foros diversos un espectáculo que se llamaba *Rolas y rollos de Miss Ohinia*. A veces tocábamos en La Rockola, un desaparecido lugar de Miguel Ángel de Quevedo en el sur del Distrito Federal que era ejemplo del rock de garaje. Aquella noche en que me enteré ahí mismo, que se habían metido a robar a mi casa mientras estábamos tocando la noche anterior en un changarro de la ciudad de Aguascalientes regenteado por alguien que insistía en poner la terminación *ukicukiluki* a cualquier palabra, recuerdo que Jaime se volvió y me dijo, acabando de tocar el "Bulldog Blues" de su autoría: "Ahora sí que tocaste el blues sentido". La letra de esa rola salió, ilustrada por Ahumada, en la primera edición que Carlos Chimal hizo del libro *Crines* (libro que me agandalló un amigo periodista con el pretexto de ilustrar un reportaje en *La Jornada*). Ahumada también había pintado ese cuadro que colgaba en la habitación coyoacanense de Jaime junto a un letrero que rezaba: "Aquí hay ghetto encerrado". López leía al poeta Leonard Cohen. Me pareció lógico. Con Jaime y con Gerardo Bátiz hicimos en el Museo del Chopo aquel improvisado acto de poesía y música que más tarde daría lugar (principios de los ochenta), con otros músicos y poetas, al grupo La Cocina (en 1988 se cumplen diez del disco). Con Jaime y Marcela Campos, organizamos en la Ollin Yoliztli y el Museo del Chopo aquellas Primeras Jornadas de la Creación Rupestre (participaron, entre otros, Henry West, Rockdrigo, Cecilia Toussaint, Eblen Macari, Lora con Guillermo Briseño y Rafael Catana) que luego darían pie a oportunistas varios de pegosteársele al tampiqueño Rodrigo González, quien continuó la idea al año siguiente al organizar las Jornadas de la Canción Rupestre. Ahora me acuerdo de aquella noche en que estábamos tocando en aquel lugar del centro de Coyoacán. Unos juniorcetes metidos a funcionarios —entonces el delegado era del PRI— no dejaban de reírse y gritar mientras tocábamos. Jaime cogió su micrófono inalámbrico y lo lanzó al par de risueños en lo que yo atacaba al piano el blues de "Blue Demon" con una entrada tipo "Sintiéndose Bien" de Dave Mason. Cuenta el chiste, le dijo a uno de ellos. Anda, cuéntalo, no te reprimas: el numerito es tuyo... En flagrante ridículo captados, los lics ofendidos exigieron su cuenta —rogando que no se las llevaran— ante los espeluznantes gimoteos y jeremiqueos de quien estaba a cargo: No se vayan, no se vayan... y que (*but of course my horse*) les perdonó la deuda. Luego Jaime, el evidenciador solitario, evidenció, por si hiciera falta, cómo es Raúl Velasco y con él su siempre dominical parafernalia (hoy en *stand by*). Alguien dijo que Lucha Villa lo quería demandar por el "Blue Demon Blues" cantado en la versión OTI local ("No hay peor Lucha, que Lucha Villa"). Alguien dijo alguna vez también que una militante exacerbada quería caparnos por lo de "Miss Ohinia" porque ridiculizábamos a la autora de un poema publicado en feminista órgano y que comenzaba diciendo "Mi vulva es una flor" y que en alguna parte hacía referencia a un conejito lloroso y sangrante cada 28 días. Con el tiempo Jaime, bajista, armoniquero, guitarrero, exmiembro de Un viejo Amor y Máquina 501 —aquí al lado del hoy coreógrafo Marco Silva— se volvió, con Pepe Elorza, la particular y mexicana versión de Lennon con McCartney para el repertorio de la intérprete Cecilia Toussaint y, en menor proporción, de gente como Eugenia León, Margie Bermejo, Maru Enríquez y Tania Libertad. Jaime, aquél del disco coleccionable de *Sesiones con Emilia* (Almazán), escandalizó, provocó, divirtió, espantó, sacó de onda y maravilló en el Foro Tlalpan lo mismo que en el Auditorio Nacional. En 1997 su "Chilanga Banda" cantada por Café Tacuba (por esas fechas también Margie Bermejo graba su versión) acapara aplausos y premios. En 1998 Jaime graba un disco con voz de Tom Waits y regresa al Auditorio Nacional compartiendo escenario con un representante de "la nueva torta cubana" (Amaury Pérez) y con el pintor-cantor hispano Luis Eduardo Aute. Leer *El otro nombre del rocanrol*.

Lora, Alejandro: En algunos barrios de la ciudad de México y de otras metrópolis sucedáneo de Pedro Infante que en 1997, con Brozo y Santana, saca un disco para poner a bailar a Juan Diego y a otro personal frente al nicho de la virgen en el metro Hidalgo. Luego graba una canción también con Armando Manzanero y en un disco que sacó (el nombre es *Las cosas por algo son*) "Cosa de dos" a ritmo de reggae. En 1998 el PAN, como años antes quisieron hacer el PSUM y el Ferrocarril, intenta sacar partido de su popularidad. En enero de 1998 Lora es candidato a un *Grammy* y reconfirma el cambio de sus preferencias por el Atlante hacia los Toros Neza. En octubre se presenta con orquesta sinfónica en el Auditorio Nacional. Leer *Más allá del trimitivismo*.

Los Animales: Ver Eric Burdon y Chass Chandler.

Los sesenta cumplen treinta: Nombre de un libro que debió haber salido cuando se cumplían 30 del verano del amor en 1997, que debió haber salido cuando se cumplían 30 del mayo y el octubre de 1968, que debe de salir antes de que el año 2001 confirme que, contra lo que cantaban los Rolling, el tiempo no está de mi lado. Algo de lo escrito aquí ha visto la luz en otras partes, algo ha sido corregido o modificado. Algunos cuentos salieron en el libro *Los usos de la radio* (Joaquín Mortiz). Otros fueron recogidos por Carlos Chimal para las dos versiones del libro *Crines* (Penélope y ERA). En periódicos como *La Jornada*, *Punto*, *El Financiero*, *Siglo 21*, *Público* y *Reforma* han aparecido algunos textos. Revistas y suplementos culturales como *El Acordeón*, *Este país*, *La Onda de Novedades*, *La Jornada Semanal* y el *Suplemento de Siempre!* también han hecho visible esto al lector y Radio Educación a veces los ha hecho audibles.

Normalmente los libros se dedican y éste no es la excepción. Vaya para los cuates Carlos Chimal, Juan Villoro, José Agustín, Chucho Reyes, José de Jesús Sampedro, Diego Jáuregui, Charlie Jarrell, Henry West, Ángel Miquel, Manuel Junquera, Juan Cristóbal Pérez, Fernando Ábrego, José Cruz, Carlos Torres, Julio Zea, Francisco Montellano, Germán Rojas, Mario Reséndiz y Carlos Plascencia y para los hijos y cuates Jonás y Eréndira y para los cuates muertos por propia mano y mis cuates vivos por propia mano. Las parejas están en el salón dispuestas y la música comienza. El autor toma a Marcela de la mano y empieza el rocanrol.

Los Supersónicos: Ver caricaturas en los sesenta que se siguen viendo con *Los Picapiedra* y *Don Gato y su pandilla* en los noventa. Leer *La nana de Santana*.

Los Tres García: Película donde Pedro Infante le dice a su tío gringo: "¡Cara de buey purgado!" Leer *Vive pues la muerte agradecida*.

Los Yerberos: Ver reggae en México (en 1997 hay un encuentro de reggae nacional a la entrada de la Huasteca, en Xilitla) y leer *Aguas de Jamaica*.

Luther King, Martin: Ver Poder Negro y crímenes en la historia de los Estados Unidos. Su supuesto asesino muere en 1998. Leer *¿Joan Baez no es Joan Baez es Joan Baez?* y *Aguas de Jamaica*.

M

Mad: Revista nacida en 1952 que de manera irónica, paródica, desacralizadora, irreverente resume y sirve como ejemplo de la cultura estadunidense contemporánea. Según acusación del enmascarado que mata (Ku Klux Klan 1979) *Mad* es condenable por "sexual" y por "satánica". Hay un mexicano caricaturista ahí, en la revista claro, que se llama Sergio Aragonés. Leer *Todo tiempo bien pasado es mejor*.

Madonna: Oportunidad nacida en Bay City, Michigan (su nombre es Madonna Louise Veronica Ciccone) para que casi todos, por diversas razones, se exciten. A fines de 1993 toca a los mexicanos su ceremonia de efímero priapismo ante la chica material. Su presencia o la muy cercana cancelación de su concierto pudo leerse como una más de las maniobras entre los excitados que querían quedar como candidatos para gran Tlatoani. Finalmente sí actuó. Ver la película *Buscando desesperadamente a Susana* (1985). También fue Breathless Mahoney en *Dick Tracy* y Eva Perón en *Evita*. Quiso ser Frida Kahlo. Leer *Las piedras a tres caídas*.

Magazine Dominical: Un contundente motivo a todo color para hablar de lo absurdo que es la deforestación. Leer *Sting y algunos hijos de la stingada*.

Malcolm X: Ver Poder Negro. Ver película de Spike Lee. Leer *Aguas de Jamaica*.

Mandela, Nelson: Primer presidente negro de Sudáfrica. Por décadas músicos de diversos géneros, entre otros, rockeros, dieron a conocer al mundo lo que era el *apartheid*. En 1998 es descubierto un plan para eliminarlo. Escuchar a Miriam Makeba, Abdullah Ibrahim, Christian McBride, el disco *Sun City* donde se puede hallar lo mismo a Little Steven que a Miles Davis, Rubén Blades, Ray Barreto, Shankar o Sonny Okosuns. Leer el libro con este nombre hecho en 1985 por *Artists United Against Apartheid*. Leer *Aguas de Jamaica*.

Manilow, Barry: Buen músico altamente edulcorado. En junio de 1995 es anunciado en el Auditorio Nacional. Leer *Elvis dos décadas*.

Manley, Michael: Primer ministro amigo de Fidel Castro y muerto el 6 de marzo de 1997. Leer *Aguas de Jamaica*.

María Sabina: En la fotografía de portada de aquella séptima entrega del "periódico de la vida emocional" se podía ver, negro todavía, a Michael Jackson, entre cuatro de sus hermanos, con la tierna edad que hoy sigue llamando poderosamente su atención. Al otro lado, debajo de un hongo con cabeza colorada y parodiando un anuncio de la enlatadora Herdez, estaba escrito: "Con toda confianza... es de la sierra". Luego un balazo: "Un siquiatra usa champiñones en terapia". Era la *Piedra Rodante* correspondiente al 15 de noviembre de 1971. Adentro, además de una epistolar llamada de atención a Carlos Monsiváis, el colaborador Alfonso Perabales incluyó una entrevista con Salvador Roquet (*"Usted trata con LSD a sus pacientes"?... "No sólo con LSD, también con hongos alucinantes, datura, mescalina, ketamina y otros alucinógenos"...*) "Médico, tira, loco, genio, revolucionario", rezaba el subtítulo de la página 20. Antes, en la página 5, citando a Salvador Elizondo y su "Pequeño Vademécum del Comedor de Lotos" se proporciona información sobre el *agaric* o *Amanita Muscaria*, que da la oportunidad de una doble embriaguez: al ingerirse primero y al beber la orina colectiva después. En la página 13, Gutierre Tibón habla sobre los artículos que en 1956 publicó en *Excélsior* donde daba noticia de los primeros viajes que a Huautla y en Huautla de Jiménez hizo Gordon Wasson; y tres páginas antes Luis Antonio Morales escribe en el *Nuevo Prontuario Liberal* (que a principios de los ochenta Carlos Chimal se encargaría de reeditar en el libro colectivo *Crines, lecturas de rock*): "Los liberales se enteraron de Huautla y los hongos alucinógenos por medio del libro de Fernando Benítez".

A cinco lustros de la desaparición de aquella revista cuyos ocho ejemplares siempre han sido robados por un primo gandalla que se fue a vivir en otra parte, un escritor español premiado con el Nobel, según informó el diario *Reforma* primero y luego la revista *Proceso* (enero de 1996), vuelve a poner en los periódicos a una de las protagonistas de la historia del hongo y la cura del alma: "Evoca —decía el texto— Camilo José Cela el espíritu de María Sabina con un poema escrito hace tres décadas sobre la controvertida india oaxaqueña".

Han pasado 101 años y uno de que se publicó algo sobre esto en la revista *Mira*. En 1996 salió también el libro *La contracultura en México* (Editorial Grijalbo) donde su autor José Agustín toca el tema con amplitud y gracia: María Sabina nació probablemente el 17 de marzo de 1896. Ha transcurrido más de una década de su muerte dos meses después de los terremotos mexicanos de septiembre. María Magdalena Sabina García está enterrada en una tumba cualquiera en el panteón de su pueblo, pero su voz se puede oír en una grabación que registró íntegra una noche de curación en 1958 lo mismo que en algún disco de Jorge Reyes hecho en los noventa. Quizás alguno de los que hoy descubre el rock ante el canto de Rita Guerrero se quiera preguntar por qué Santa Sabina y cuál es, si existe, la relación con la chamana mazateca, quizás le tenga sin cuidado tanto como si Lennon y Harrison visitaron en 1976 (algo de esto se pudo leer en un ejemplar de *El Gallito Ilustrado*) un pueblo de la sierra del norte de Oaxaca que 30 años después, pasada la euforia hippiteca, vive entre secas y tormentas el secular abandono de hace uno, dos, tres siglos. Quizás le importe lo que se le unta al queso si Elena Garro toma a María Sabina para crear un personaje de novela o si Álvaro Estrada publicó en editorial Siglo XXI un libro sobre esta mujer o si Juan Carlos Rangel Cárdenas publicó un artículo sobre ella en el número 15 de la revista *El Acordeón* de la Universidad Pedagógica Nacional o si Manuel Aceves, director de *Piedra Rodante*, psicoanalista, publicista y más que probable alguna vez consumidor de hongos publicó en los noventa un libro donde la alquimia, Carl Gustav Jung, el yoga, Vasconcelos y Tezcatlipoca se dan la mano o si tesis profesionales en idiomas distintos, discos y películas, referencias constantes, ficciones personales, investigaciones científicas, comentarios coyunturales hacen evidente que la presencia de la sacerdotisa del *teonanácatl*, el *nanacate*, *los niños*, se detecta en buena parte de la cultura de la segunda mitad de este siglo moribundo o si antes de Santa Sabina ya había rock en México.

El gallego autor de *La colmena* y *La familia de Pascual Duarte* que nunca ha ido a Huautla, que jamás ha probado el hongo,

71

nunca conoció a María Sabina. En abril de 1997 se lo pregunté y ésta fue su respuesta:

> Lo de María Sabina fue hace muchos años, después resultó que apareció una mujer con estas características en el norte (*sic*) de México. A mí me parecía un tema muy interesante para un oratorio. Éste fue estrenado con gran éxito, no obstante ser en español en el *Carnegie Hall* de Nueva York. Un lugar con 4 000 localidades ocupadas donde se supone que más de la mitad no entendía qué se decía, pero el personaje ese afortunadamente para mí estaba muy desarrollado. La última vez que lo leí fue hace poco en España y a la gente le interesó mucho, de lo cual me alegro.

Reforma publicó en la nota enviada por Carlos Rubio el siguiente texto de Cela:

> *Soy una mujer que bebe la sangre del león / soy una mujer que bebe el humo / soy una mujer de luz / una mujer pura / hambrienta y sedienta / soy una mujer sin memoria / de trapo / que no miente / soy una mujer que come flores / que come peces vivos y saltamontes / una mujer capaz de pasar hambres / que pasa hambres / muchas hambres / que no recuerda haber comido jamás / soy una mujer con ojos que ni miran ni brillan / soy una mujer que ve en la tiniebla / que palpa la gota de rocío posada sobre la hierba / soy una mujer valerosa y que no tiembla / que duerme sola / soy una mujer que vela eternamente / soy una mujer que come tierra / una mujer que ama el fuego / que lleva el fuego de un lado para otro / soy una mujer incapaz de escupir fuego...*

Y ésa bien pudo ser María Sabina, la de aquí... Ver libro *Curanderos y chamanes en la sierra Mazateca* de Juan Miranda y leer *Nunca digas morir*.

Martin, Dean: Cantante muerto ya, que en los Estados Unidos se hizo famoso al lado de Sinatra y Sammy Davis. Muchos recuerdan "Everybody loves somebody sometime". Los Rolling lo recuerdan porque fungió como presentador televisivo de una de sus actuaciones en los sesenta y no hizo sino estar chingando. Leer *Me hubiera gustado estrellar una copa contra el suelo*.

Mato Grosso: Ver Brasil. El 16 de mayo de 1996 salió en el periódico *Siglo 21* de Guadalajara la noticia de que 250 indígenas
guaraní-kaiow, de la aldea Jarará, amenazaron con un suicidio
colectivo si les quitaban sus tierras. Si nos las quitan, moriremos
en ellas, dijeron. "Según el Mapa del Hambre entre los Pueblos
Indígenas de Brasil, el territorio de esta comunidad se ha ido
reduciendo, su población está mal alimentada, los ríos están con-
taminados y la tierra está desgastada por diferentes cultivos.
La expansión agrícola replegó a los indios a pequeños espacios
y en muchas ocasiones han sido expulsados, pese a que la Constitución les da derecho a vivir en los lugares de influencia de sus
antepasados." Leer *Sting y algunos hijos de la stingada*.
Mayall, John: Nacido el 29 de noviembre de 1933, varias veces en
México se ha presentado este bluesero inglés legendario. Le han
acompañado desde John McVie y Mick Taylor a Eric Clapton,
Ginger Baker, Jack Bruce y Coco Montoya. Leer *Rocanrol del
cielo y el infierno*.
McCartney, Paul: Bajista, pianista, cantante, compositor cuyo
nombre se puede leer junto al de Lennon. Salió, con su esposa
Linda (muerta en 1998), en un episodio de *Los Simpson* en el
que Abu a las tablas interpreta un fragmento del "Sargento Pimienta". Su hermano en 1968, con un grotesco trío de chistosos,
tuvo cierto éxito en el *hit parade* inglés. Julian Lennon le agra-
dece a Paul el haber escrito "Hey Jude". Ver Grateful Dead y
leer *Los Beatles y el mar*.
Mendes, Chico: Leer *Sting y algunos hijos de la stingada*.
Mendoza, Narciso: Pequeño héroe artillero en Cuauhtla que muchos rocanroleros hechizos invocan a la hora de actuar en el
Canal de las Estrellas. Leer *Rocanrol del cielo y el infierno*.
México: País, ciudad, entidad federativa donde buena parte de esto
se ha escrito. James Taylor, que también salió en un episodio de
Los Simpson y que canta en el Distrito Federal en 1998, hizo
una canción con este nombre; Grace Slick también. Años antes,
a mediados de los cincuenta, The Robins tuvieron su primer
éxito con "Down in Mexico". El inglés John Mayall basándose
en la propuesta rítmica usada por Miles Davis en el disco *Kind
of Blue* con la pieza "All Blues" (el guitarrista Buddy Guy haría
lo mismo en el disco *I Was Walking Through the Woods* con la
canción "No Lie"), compuso la canción "México City" y Big Joe

Williams hizo también algunos blues para esa ciudad así como para Juárez y Tijuana (no olvidemos que uno de los grandes éxitos del armoniquero Big Walter Horton fue "La Cucaracha").

Varios son los grupos californianos que mencionan al país donde les queda "Baja" y Leonard Cohen no dudó en incorporar en algunas de sus grabaciones (Ringo Starr también) sonidos de mariachi. Por su parte Jack Kerouac publicó en 1959 el libro *Mexico City Blues*. No falta quien, en los noventa de salida, insista en preguntar si existe rock en México. Leer *Pequeño pero emotivo discurso contra la nucleoeléctrica, Los muros por asalto* y *Más allá del trimitivismo*.

Mi marciano favorito: El actor que la hacía del tío Tim, el marciano, ya murió. Con él se fue el secreto de cómo mover las cosas de aquí para allá con un dedo y sin tocarlas. Con él murieron también las antenas que salían de su cráneo. Leer *Me hubiera gustado estrellar una copa contra el suelo*.

Miller, Dominic: Argentino que vive en Inglaterra y toca guitarra. Leer *Sting y algunos hijos de la stingada*.

Monterrey: Ciudad mexicana donde había una fundidora en la que luego se presentaría Gloria Trevi. Acaudalados industriales regiomontanos organizan fiestas privadas donde lo mismo llevan a bailar a John Travolta que se revientan con The Cure. En los noventa el rock mexicano, o eso que muchos deciden llamar rock mexicano, recibe de esta ciudad, donde hizo su famosa huelga de hambre con agua de importación Salinas, nuevos grupos regiomontanos venidos del rap y el taconazo. Leer *Sting y algunos hijos de la stingada*.

Morissette, Alanis: Canadiense ganadora de Grammies anunciada para actuar en el Teatro Metropolitan en junio de 1996. Ver China.

Moscú: Ciudad en la que aterrizó su avioneta un estudiante alemán llamado Mathias burlando toda prevención de las autoridades aeronáuticas soviéticas. Es tema y lugar de varias películas y novelas de gran grosor. Una población homónima se encuentra en el estado de Texas. Leer *La nana de Santana*.

Morrison, Jim: Mito sexual enterrado en Pere Lachaise que da lugar a una película de Oliver Stone que, exhibida por cable (TNT) en 1996, era recomendada ampliamente corte tras corte por el cantante puertorriqueño e invidente José Feliciano que alguna vez grabó "Enciende mi fuego". Leer *Vive pues la muerte agradecida*.

Morrison, Van:

—¿No sabes? —pregunté—. La voz le debe haber sonado a prefecto.

—¿Y yo por qué tendría que saber? —La voz sonó a pupila de colegio de monjas que espera a que den las dos y que la falda suba unos céntimetros y el rímel nomás salir.

—*Semanas Astrales* —añadí—. ¡"Astral Weeks"!

—Entre las mil cosas que me valen madres, ésa. Y este güey, mil una.

¡Cómo es posible que hable así! Yo hubiera hablado así. Es más: yo hablo así. Pero ella también y eso no va con el uniforme azul, el dobladillo, el listón rojo, los pupilentes en el índice a punto de llegar a los ojos.

—¿Qué? ¿No te gusta "Gloria"? —desenvaino como último recurso.

—Sabes... Creo que ya estás viejo o al menos ya te comportas como uno...

En estos años que los sesenta cumplen treinta todo lo que venga de los sesenta o ya está viejo o está de moda. Detesto a Thalía pero estoy seguro de que mucho machín quisiera llevarla a la cama si garantizara que no abriría la boca después para, en fumando un cigarrillo posoperatorio, mascullar un ¡uf, qué rico! Los sesenta siguen cumpliendo treinta y yo leo mi ejemplar del *Rolling Stone*: Un crítico de jazz se mete a un lugarcillo californiano. No sabemos quién va a tocar y él es un hombre negro comprometido y ácido en su quehacer musicológico. Escribe y vive de ello. Al frente, sobre el pequeño escenario, un hombre blanco, pelirrojo e irlandés hace blues y rock y jazz como sólo un irreverente paisano de James Joyce sería capaz.

Yo me descubro hablándole otra vez en voz alta:

—Ves, éste es Morrison, el de "Gloria".

—Claro, si ya lo sé, es el de los Doors, el de la película. Pero aquí ya estaba bien gordo. Ni se parece. Además calvo...

Me asalta la gana de decirle que qué imbécil pero me gana mi espíritu didáctico:

—Mira no. El grupo se llama Them. ¿Te acuerdas de Led Zeppelin? ¿De Jimmy Page?

—...

75

—¿Sabes qué? —Te pareces a Thalía y a todas las que a ella se parecen o quieren parecerse.

—¡Qué te pasa! En todo caso me gustaría más la Trevi.

Cuántas veces me lo advirtió mi padre: Vete en mí, mírate en este espejo familiar. Las jovencitas te pierden y las pierdes. Yo por eso terminé con tu madre. No fue falta de cariño. Siempre les tuve ley a ustedes, pero las jovencitas te pierden y las pierdes.

Ahora recuerdo la razón por la que mi amigo Juan dijo que se quería casar con aquella damisela: "es que es pelirroja como Morrison". Han pasado años. La última vez que supe de él fue cuando le avisamos que nuestro hijo nacería en agosto. ¡Qué padre!, respondió con su tradicional entusiasmo y voz tipluda: va a ser Leo como Mick Jagger.

Van Morrison también nació en agosto sólo que es Virgo como Virgo es mi exmujer.

Treinta años es una muestra de cariño y la segunda década de la segunda mitad de siglo hace que este final crepuscular sea válido.

Los sesenta cumplen treinta y sigo yéndome solo hasta mi cama otra vez.

—¿Que no te acuerdas del concierto de despedida de The Band? La alquilamos una tarde en que estaba lloviendo... acuérdate —le exigí, le imploré ya para cerrar la puerta en un adiós definitivo como golpe de oxígeno al que se ahoga.

—...

—¿Que no te acuerdas de Van Morrison, imbécil?...

Sigo poniendo mi ejemplar rayado de "Astral Weeks" porque sigo con mi tocadiscos en uso. Nunca he sido previsor pero algo me hizo comprar esa docena de agujas cuando el compacto se preparaba a tomar las cosas por asalto. Conservo también mis Rolling Stones. Van Morrison cantó y tocó en ese pequeño bar de San Francisco. También los Kinks y Procol Harum. 1968, el de mayo, el de octubre, es todavía el 1968 de las *Semanas Astrales*. Van Morrison cumple años en agosto. Nació cuando terminó la segunda guerra. Años antes que yo. Muchos.

Aquí están tu moda y tus nostalgias. Todo te doy en cambio, le digo al espacio vacío. Así se acostumbraba. Me voy a la cama leyendo a Richard Brautigan otra vez. Por mí puedes morirte, le digo sin que esté. Yo escuché a los Doobie y a los Allman Brothers y a Van Morrison en concierto una vez en tierra ganada al mar de Holanda. Fue en el setenta y tantos. Puedo todavía tararear un blues y también "Gloria..." Tú no.

Mothers (of Invention): Leer *Autor busca epígrafe*.

Mountain: Oír disco triple grabado en los festivales de Wight y Atlanta. Leer *No le compren leche a Max*.

Museo del Chopo: Leer *Todo tiempo bien pasado es mejor* y *Los muros por asalto*.

My-Lai: Ver Vietnam. En 1998 son condecorados finalmente dos soldados estadunidenses que querían proteger a las víctimas de los soldados estadunidenses. La secuela vietnamita continúa. Leer *La nana de Santana*.

N

Naftalina: Grupo de rock mexicano que en los noventa toca bien cuando se junta. En 1998 uno de sus integrantes reedita una rocanrolera novela llamada *Las jiras*, otro gana un premio nacional de ciencias. Leer arriba Cómo suena Lennon sin John Lennon.

Nascimento, Milton: Cantante y compositor carioca que en 1997, con diabetes, cumple 54 años. Con varios grupos indígenas de la Amazonia graba un par de discos. Además de ellos toca con gente como Wayne Shorter, Sting, Herbie Hancock, etcétera. Leer *Sting y algunos hijos de la stingada*.

Nash, Johnny: Ver country gringo. Por cierto John Denver murió en un accidente aéreo en octubre de 1997. Por esas fechas Sonny Bono también murió. Su exmujer, Cher, sigue triunfando como cantante y actriz. Leer *Autor busca epígrafe*.

Necaxa: Ver Azcapotzalco. Leer *Todo tiempo bien pasado es mejor*.

Nelson, Willie: ¿Quién se iba a imaginar que en 1995 saliera este texano en un disco de homenaje a Leonard Cohen cantando "Bird on the Wire"? Ver Leonard Cohen.

Nixon, Richard: Inspiración para que el poeta chileno Neftalí Reyes escribiera *Invitación al Nixonicidio*. Se le puede ver fotografiado junto a Mao, parodiado en un disco de Frank Zappa y presentando su renuncia luego del escándalo de *Watergate*. En los noventa es también tema de una película. Su vicepresidente

Spiro Agnew (ver la película *Flashback*) murió a la mitad de esta década. Leer *La nana de Santana*.

Newton, Isaac: Alquimista nacido en la misma isla que Shakespeare a quien por obvia cortedad se le asocia con Guillermo Tell y luego con Rossini. Su imagen una vez fue empleada para anunciar el refresco Manzanita Sol. Su nombre es citado en los mingitorios cuando se constata la famosa quinta ley (Por más sacudir, la última gota queda en el calzón). Leer *Vive pues la muerte agradecida*.

O

Océano Pacífico: A la izquierda si uno ve de México para arriba. Más allá están los japoneses y sus afanes por matar ballenas. Leer *Vive pues la muerte agradecida*.

One for my Baby and One More for the Road: La traducción ranchera sería *La del estribo y la caminera*. Leer *El otro nombre del rocanrol*.

P

Palacio de los Deportes: Lugar con techo de cobre jamás pensado para conciertos y donde el ruido es difícil de domesticar. Su arquitecto, Félix Candela, murió en 1997. Ver Iztacalco y rock en los noventa (INXS, Bob Dylan, Los Lobos, ZZ Top, Santana, Soda Stéreo, Rod Stewart, The Cult, etcétera). Leer *Rocanrol del cielo y el infierno*.

Panteras Negras: Ver Poder Negro. Leer *¿Joan Baez no es Joan Baez es Joan Baez?*

Pappalardi, Felix: Productor en un disco de Cream forma, con el concepto del grupo inglés, el trío Mountain en 1969. Con él al bajo y cantando están Leslie West a la guitarra y N.D. Smart a la batería. Leer *No le compren leche a Max*.

París: En Texas otra ciudad perdida entre texanos que sirve para que Ry Cooder haga una pista sonora. El filme lo dirige Wim Wenders y actúa Nastassja Kinski. Existe una población homónima al centro de Francia que, se lee en *Asterix*, antiguamente se llamaba Lutecia. Ahí grabaron en concierto, entre otros, Sting y Steve Winwood. Leer *Me hubiera gustado estrellar una copa contra el suelo*.

Parker, Coronel: *Murió el coronel Tom Parker:* A.P. Las Vegas, 21 de enero de 1997:

> El coronel Tom Parker, quien guió la carrera de Elvis Presley durante 22 años y lo ayudó a alcanzar el estrellato, murió aquí a los 87 años de edad, debido a complicaciones de un derrame cerebral. Parker se hizo agente de Presley, justo en el momento en que el joven artista comenzaba a atraer la atención nacional con sus interpretaciones de rocanrol y estuvo a su lado hasta que el Rey del Rock murió en agosto de 1977.

Leer *Elvis dos décadas*.

Pastorius, Jaco: Músico, bajista, percusionista, muerto a patadas en Florida, que grabó con Joni Mitchell. Leer arriba Cómo suena Lennon sin John Lennon.

Pátzcuaro: Lago moribundo al centro del país. El mexicano Jorge Reyes en día de muertos gusta de tocar ahí lo que alguien ha llamado etno-rock. Leer *Nunca digas morir*.

Perdidos en el espacio: Ver Irwin Allen y recordar robot gritando "¡peligro!, ¡peligro!"... Leer *Todo tiempo bien pasado es mejor*.

Piedra Rodante: Revista que obviamente las autoridades mexicas no estaban dispuestas a aguantar demasiado. Leer aquí arriba María Sabina.

Pink Floyd: *El lado oscuro de la luna* —así se llamaba un programa de radio que producía Juan Villoro en Radio Educación— sigue siendo el disco que con el *Sargento Pimienta* van a la famosa isla desierta encabezando la lista de los diez. El grupo, ya sin Roger Waters, tocó en el viejo autódromo de la Magdalena Mixhuca en los noventa. Su película *The Wall* ocasionó largas colas para entrar al cine en la avenida Universidad. Ver Carla Bley, Real de Catorce y Carrera Panamericana.

Pista-Hielo Insurgentes: Foro de rock helado en los sesenta mexicanos. Enfrente estaba Hip 70 y al lado una fuente de sodas donde podía comprarse el *Mad* y los libros de *Peanuts*. Leer *Todo tiempo bien pasado es mejor*.

Playboy: Oportunidad única para leer artículos en inglés, guardada en un estante especial de la peluquería. Buscar bondades de Onán, ver Elizabeth Aguilar y leer *Vive pues la muerte agradecida*.

Police: En 1977 se juntaron en Inglaterra tres músicos. Dos de ellos, el bajista y cantante Gordon Sumner y el baterista Stewart Copeland siguieron en el trío bautizado como la policía; el tercero, Henri Padovani, fue sustituido en agosto de ese año por Andy Summers. Tres años después, cuando la canción "Roxanne" aún sonaba en varias radios del mundo, The Police estuvo en el Hotel de México (hoy gracias a las bondades del neoliberalismo salinista *World Trade Center*). Así fue como comenzó a gestarse una serie de escritos que acabó llamándose *Sting y algunos hijos de la stingada*. Alguno salió en el libro *Crines* que compiló por segunda vez Carlos Chimal y que publicó editorial ERA. Ni el primer escrito, el de Police, ni el último, el de Rada, aparecieron por ahí. Rubén regresó al Uruguay y en 1997 sacó en Nueva York, con Hugo Fattoruso, el disco *Montevideo*, Police se disolvió luego de su disco *Sinchronicity* de 1984 y Sting grabó su voz en francés hablando como tira en un disco de Miles Davis (*You're under arrest*) de 1985 y cantando en un disco suyo "La belle dame sans regrets" en 1996 (*Mercury Falling*). En 1997 sale un disco de hacedores de reggae con el nombre de *Reggatta Mondatta* con puras interpretaciones de rolas de Police. Sting canta también, en otro compacto, al lado de un hacedor de rap. Copeland toca con el mexicano exInsólita Imagen de Aurora, exCaifán y Jaguar Saúl Hernández.

Ponty, Jean Luc: Violinista francés que ha tocado en el Auditorio Nacional de México, que grabó con Zappa quien le produjo un disco y con Elton John y que, como muchos otros, ha vuelto la vista al África. Leer *Autor busca epígrafe*.

Port Arthur: Infierno texano del que escapó Janis en buen momento. El pintor Robert Rauschenberg, nacido ahí en 1925, también hizo lo propio. Leer *Me hubiera gustado estrellar una copa contra el suelo*.

Presley, Elvis: Hito, mito. Su hija casó en 1994 con Michael Jackson. El 8 de agosto de 1997, 20 años después de su muerte y el día en que anuncian que Bob Dylan prepara el disco *Time Out of Mind*, un busto de Elvis en Holanda derrama lágrimas ante los emocionados ojos de sus fieles que depositan flores arrebatados por el milagro. Leer *Elvis dos décadas*.

Procol Harum: Ésa sí que fue una constante referencia en mi educación sentimental. "Una pálida sombra" volvió a la mente cuando Alejandra Guzmán sin el menor empacho usó varias de sus armonías en una exitosa canción antes de su embarazo, su declive, su predecible regreso. Esa canción llegó a primer lugar de ventas en 1967 en Inglaterra y todavía en los setenta estaba en los primeros veinte. Una nueva versión hecha por el también inglés Joe Cocker la revitalizó y luego vino el regreso de la versión original a la moda y a la memoria gracias a aquella película tríptico llamada *Historias de Nueva York*. Los que la vieron recordarán al pintor representado por Nick Knolte en su amplio taller. Un exitoso artista detrás lujuriosamente de los ostensibles y apetecibles huesos de Roxanne Arquette, su ayudante. Al histérico barbón le da por el rock y pone y repone y vuelve a poner en su casetera lo que los adolescentes en los principios de los setenta en México poníamos para apagar las luces en las primeras fiestas donde bailar de pareja ya era bien visto, o, mejor dicho, era, gracias a la penumbra, poco visto. Los padres ya confiaban en que nadie le metería Alka-Seltzer a la jarra de agua de jamaica y todavía no se imaginaban que existiera la posibilidad de que algún adelantado supiera forjar, así que se retiraban a sus habitaciones y venía entonces Dios en la tierra al órgano: Procol Harum, "A Whiter Shade of Pale" con Mathew Fisher.

No sé, pero imagino que la bailé la primera vez con la nunca olvidada Rosita Sánchez. No he sabido más de su vida. De la banda sé que sacó en los sesenta y setenta algunos discos con relativo éxito. Entre los acetatos que aún escucho y tengo están *A Salty Dog*, *Live in Concert* y *Procol Harum Greatest Hits*. Luego de sufrir cambios en sus integrantes a finales de los setenta se deshizo, pero en los ochenta conducidos por el cantante Gary Brooker vuelve, sobre todo en los Estados Unidos y Canadá. Pude verlos en Boston al acabar los ochenta. Imaginé a Rosita cuando volvieron a tocar "A Whiter Shade of Pale". La imagino ahora que oigo una nueva versión de Annie Lennox. Si tuviera su teléfono la invitaría al Palacio de los Deportes. El hielo seco mental nos llevaría a obviar a Alan Parsons y Kansas. La nostalgia sería unidireccional y placentera. (Procol Harum se presentó, con Kansas y Alan Parsons, en el Palacio de los Deportes el 20 de julio de 1995.) Leer *Sting y algunos hijos de la stingada*.

Puré de niña: ¿Qué posibilidades tenía en los tempranos ochenta un conjunto de reggae con ese nombre en Cuernavaca? Leer *Aguas de Jamaica*.

Purple Haze: Ver Jimi Hendrix. Kronos Quartet la toca con instrumentos de cuerda y el trompetista Lester Bowie con puros metales. En 1998 un grupo de danza israelí utiliza esta canción en una obra sobre el holocausto. Leer *La nana de Santana*.

Q

Quadrophenia: Ver Ace Face. Oír a Who, James Brown, The Kingsmen, Booker T. and the MG'S, The Cascades, The Ronettes, The Crystals y The Chiffons. Leer *Sting y algunos hijos de la stingada*.

R

Radio Trece: Estación radiofónica de la ciudad de México que en 1968 transmitía la canción "Free Again". Ver Avándaro. Leer *Todo tiempo bien pasado es mejor*.

Real de Catorce: Lugar fantasma en San Luis Potosí donde antes había minas, en el que se consigue peyote, se puede ser apañado malamente y se puede intentar averiguar qué onda con los huicholes. Escuchar a un grupo de rock mexicano con ese nombre. En 1984 hubo intentos por llevar a Pink Floyd a tocar ahí, pero lo más que se llegó fue a ver a David Gilmour manejando a través del semidesierto en la Carrera Panamericana. Leer *Nunca digas morir*.

Reed, Lou: Cantante, compositor neoyorkino. Mientras más larga sea la versión de "Walk on the Wild Side", mejor. Al comenzar los noventa actuó en México ante cientos de personas en el Auditorio Nacional: algunos eran sus nostálgicos seguidores y los más personas que iban ahí con la misma actitud con la que los turistas japoneses viajan a Teotihuacan. En 1992 el gobierno francés le da la Orden de las Artes y Letras y en 1993 canta para el vicepresidente gringo. Ver Velvet Underground y Andy Warhol. Leer *Autor busca epígrafe*.

Roach, Max: Baterista que es a las percusiones lo que Charlie Parker al saxofón alto. Leer *No le compren leche a Max*.

Rock de la cárcel: La letra en castellano tiene aquella memorable frase: "Todo el mundo en la prisión salieron a bailar el rock". Leer *Elvis dos décadas*.

Rolling Stones: Grupo inglés que en 1995 llega finalmente a tocar en México, país al que regresará tres años después. Dos de sus miembros habían inaugurado en octubre de 1983 una galería en el Distrito Federal. Uno de ellos, Keith Richards, tocó el bajo en 1968 en un cuarteto efímero que tenía en la voz a John Lennon, en la guitarra a Eric Clapton y en la batería a Mitch Mitchell. Bill Wyman, bajista fundador, escribió un libro. Ian Stewart, pianista fundador y luego *road manager*, murió en 1985. También murió el pianista Nicky Hopkins. Mick Taylor, que fue sustituido por el guitarrista Ron Wood, tocó a mediados de los noventa con su All Stars Blues Band luego de acompañar a Bob Dylan en una gira por Europa. Charlie Watts en julio de ese año toca con su quinteto en el Festival de Jazz de Montreal. Brian Jones, asmático y genial, en 1969 demostró el secreto poder de las albercas. En 1993 es posible ver una película de los Rolling Stones en pleno concierto en las pantallas IMAX del Museo del Niño en una antigua fábrica de vidrio de Chapultepec. Oír el último disco del bluesero Luther Allison: *Paint It Blue*, un excelente homenaje a los Rolling grabado en julio de 1997. Un mes después moría de cáncer. Ver Grateful Dead, leer *Vive pues la muerte agradecida*, *Las piedras a tres caídas* y *Los muros por asalto*.

Ruiz Vélez, Pepe: Conductor de Estrellas Infantiles y actor que se hace pasar por María Félix y Agustín Lara en una película para que Luis Aguilar consiga chamba en la XEW. Leer *Todo tiempo bien pasado es mejor*.

S

Sacco y Vanzetti: Anarquistas víctimas en los años veinte del sistema estadunidense. Hay una película y una canción que cantó Georges Moustaki que luego cantó Joan Baez. Leer *¿Joan Baez no es Joan Baez es Joan Baez?*

San Antonio: Ciudad llena de mexicanos al otro lado de la frontera de México. De ahí sale el acordeonista Flaco Jiménez que toca con los Texas Tornados, con Ry Cooder y con los Rolling Stones. Leer *Me hubiera gustado estrellar una copa contra el suelo*.

San Francisco: Famoso lugar primero repleto de chinos y luego de hippies. Un brazo del cuerpo del rock. Leer *Vive pues la muerte agradecida*.

Santa Cecilia: Día de los músicos, día en que se suicida el cantante de INXS. Leer *La nana de Santana*.

Santa María la Ribera: Vieja colonia de la ciudad de México donde hay una alameda, donde cantó Rodrigo González para un programa de televisión cultural dirigido por Paul Leduc y donde vivió Gerardo Murillo, el doctor Atl, pintor nacido, como Eddie Cochran, el 3 de octubre. Ver Chopo. Leer *Los muros por asalto*.

Santa Anna, Antonio López de: Personaje real que hubiera podido nacer, en el siglo siguiente, de la imaginación de Valle Inclán, García Márquez, Roa Bastos o Miguel Ángel Asturias. Ver Guadalupe Hidalgo. Leer *Me hubiera gustado estrellar una copa contra el suelo* y *La nana de Santana*.

Santana, Carlos: Como Fernando Valenzuela con Etchohuaquila, éste es causante de que mucha gente sepa que en Jalisco existe un lugar llamado Autlán. Actuó en la ciudad de México el 25 de junio de 1991. Ver Bátiz y leer *La nana de Santana*.

Sapporo: Modelo de zapato de la compañía Canadá, creadora también de la Perestroika. Leer *Vive pues la muerte agradecida*.

Sargento Pimienta: Disco que todo consultado dirá que se lleva a la isla aquella, que en 1997 para una nueva edición incorpora nuevos personajes en la portada. Nombre también de un restaurante de carne asada y cabrito en la ciudad de Xalapa. Leer *Vive pues la muerte agradecida*.

Shankar, Ravi: Si así aplauden mientras afino, espérense a que toque —dijo el hindú al personal asistente al concierto por Bangladesh—. Ver George Harrison. Leer *No le compren leche a Max*.

Sheik Yerbouti: Ver Zappa.

Sida: En 1996 se reportaron en el mundo más de siete millones de enfermos. En lo que hallamos el remedio, usemos condón y hagámoslo usar. Ver "Yo sin ti". Leer *La nana de Santana*.

Sympathy for the Devil (Simpatía por el Diablo): Rola de los Rolling que no debería llamarse así en castellano. Blood, Sweat and Tears le hizo otra versión. El francés Jean Luc Goddard filmó una película llamada *Uno más uno* con ese tema y su desarrollo como columna vertebral de la historia. El extinto grupo mexicano Botellita de Jerez cantaba "Simpatía por el débil". Ver Altamont, Rolling Stones y Sticky Fingers. Leer *Vive pues la muerte agradecida*.

Sinatra, Frank: Actuó en México la última vez el 22 de junio de 1991. A su sepelio californiano, el miércoles 20 de mayo de 1998, entre todos los personajes de la farándula, acude el candidato priísta a gobernador en Veracruz e hijo de expresidente. "Vengo de Veracruz —declaró— pero luego luego me regreso." Ver Grateful Dead y U2.

Sleep Dirt: Ver Zappa.

Slick, Grace: Como actriz debió de haber actuado en una película en el papel de la anarquista Emma Goldmann, sólo que no hubo manera y el proyecto se acabó. Las españolas Victoria Abril y Ana Belén, sin embargo, actuaron muchos años después en *Libertarias*. Ver Jefferson Airplane. Leer *No le compren leche a Max* y *Vive pues la muerte agradecida*.

Sly and the Family Stone: ¿Cuesta trabajo mirar a Sylvester Stewart trajeadito y encorbatado con afropeinado de héroe de la serie *Patrulla Juvenil* en la portada del disco *Back on the Right Track?*... No, han pasado diez años desde que tocó ese pacheco popurrí "Dance to the Music", "Music Lover" y "I Want to Take You Higher" en Woodstock. La traducción es "De vuelta en la ruta correcta". Leer *No le compren leche a Max*.

Spooky Tooth: Grupo inglés de rock. Pierre Henry, músico contemporáneo, supo apreciar sus posibilidades. Ver John Lennon.

Springsteen, Bruce: Autor en 1982 del disco *Nebraska*. Antes que eso *Born to Run* (1975) y luego *Born in the USA* (1984) dieron la oportunidad a los que no creían en los que afirmaban que el rock y su energía habían muerto, de romperles el hocico por decir tonterías. "Born to Run" fue recreada por Holly Johnson a principio de los noventa. Ver *Frankie Goes to Hollywood* y Sida. Leer *El otro nombre del rocanrol*.

Stand by Me: Ver Cassius Clay y John Lennon. Leer *Elvis dos décadas*.

Starskey y Hutch: Uno de ellos luego de terminar la serie televisiva se lanzó de cantante. Leer *Otro más que muerde el polvo*.

Starr, Ringo: Baterista de grupo inglés de rock y luego actor. Un hijo suyo toca el mismo instrumento. Ver Zappa y Beatles.

Sticky Fingers: Además de un restaurante londinense propiedad de Bill Wyman inaugurado en 1989, un zipper, una funda, un disco y lo demás: los Rolling Stones. ¿Qué tanto le debe la guitarra de Keith Richards a Ry Cooder? Leer *Vive pues la muerte agradecida* y *Las piedras a tres caídas*.

Sting: En castellano: Aguijón. Además de los discos conseguibles con facilidad existe el disco de la película *Brimstone and Treacle* y el álbum doble del festival de Perugia donde Sting canta con la orquesta de Gil Evans. En la película *Stormy Monday*, de Mike Figgis, Sting actúa como dueño de un club de jazz inglés donde un grupo centro-europeo toca free-jazzeramente una magistral versión del himno gringo. En 1993 Sting abre algunos conciertos de Grateful Dead. Ver Zappa y oír la música de *Adiós a las Vegas*. Leer *Sting y algunos hijos de la stingada*.

Subcomandante Marcos: Ver rebelión en Chiapas en enero, desquebrajamiento del sueño guajiro de un presidente mexicano que pensó en el país como tema de tesis, ver Ejército Zapatista de Liberación Nacional, manejo fin de siglo de los medios combinado con respeto a la tradición local. Si es el que dicen que es, jugaba futbol bastante mal y le gusta el blues, en especial Sonny Boy Williamson. En los últimos años del milenio da lugar y participa también en discos de rock iberoamericanos e inspira a Joaquín Sabina. Fuma en pipa. Leer *Sting y algunos hijos de la stingada*.

Sucurucucujaca do pico: Ver Amazonas y Sting. También Grateful Dead hizo algún concierto para salvar la selva.

Sueño de las Tortugas Azules: Disco hecho por Sting en 1985 en que los jazzistas (Brandford Marsalis, Kenny Kirkland, etcétera) demuestran que las pueden donde los dejen. Leer *Sting y algunos hijos de la stingada*.

Suiza: Pacifista país exportador de armas y cuya sospechosa neutralidad ha inspirado geniales películas de Alain Tanner. En una de sus múltiples fiestas tradicionales acostumbran poner a pelear vacas. Leer *Sting y algunos hijos de la stingada*.

Sumner, Gordon Mathew: Cantante, bajista, compositor y actor que estuvo en el Hotel de México primero con Police y luego en el Palacio de los Deportes el 11 de octubre de 1991. Ver Sting.

Sutherland, Kiefer: Actor hijo del actor de *M*A*S*H** Ver Dennis Hopper. Leer *No le compren leche a Max.*

T

Televisa: En un alto grado, por lo visto en pantalla, la opción de demostrar al mundo que el I.Q. era el nombre de un doctor de apellido Marrón, servidor de ustedes. Ver Canto Nuevo. Leer *Todo tiempo bien pasado es mejor.*

Temple, Shirley: Lo que en México con otro sexo quiso ser Juliancito Bravo años después. Leer *Todo tiempo bien pasado es mejor.*

The Clash: Ver punk y reggae. Hay muchos que afirman que *London Calling* es el disco que uno debe de tener. Leer *Aguas de Jamaica.*

The Fugs: Grupo neoyorkino. Buscar en literatura Beat. Leer *Autor busca epígrafe.*

The Night: Ver Eric Burdon y un nuevo intento por reunir a Los Animales años después. Leer *Aguas de Jamaica.*

The Who: ¿Cuántas guitarras ha roto Pete Townshend? ¿Cuántos cables de micrófono Roger Daltrey? ¿De qué murió Keith Moon? ¿Cuántas veces se han despedido? En 1998 Daltrey se niega a colaborar con Steven Spielberg que quiere hacer una película sobre la vida de Moon. Leer *Sting y algunos hijos de la stingada* y *No le compren leche a Max.*

Three Souls in my Mind: Ver arriba Avándaro y ver *Una larga experiencia*, película en super ocho de Sergio García. Leer *Rocanrol del cielo y el infierno.*

Tianguis del Chopo: En el Distrito Federal lugar autogestivo para tatuarse y perforarse y comprar e intercambiar discos, libros, fanzines y camisetas en la ciudad de México. Ha mudado varias veces su ubicación, comenzó en el museo que le da nombre y ahora está tras la estación de ferrocarriles. La tira siempre sabe localizarlos cuando quiere chingar. Leer *Todo tiempo bien pasado es mejor* y *Los muros por asalto.*

Tigres de México: Ocupantes del dog out izquierdo del parque del Seguro Social. En 1997, el año en que muere su dueño el empresario Alejo Peralta, resultaron campeones luego de varios años. En ese equipo jugaron alguna vez Rubén Esquivias, Obed

Plascencia, Quico Castro, Manuel Estrellita Ponce, el Huevo Romo y el Pulpo Remes. Leer *Todo tiempo bien pasado es mejor.*

Tijuana: Ciudad antiguamente llamada Zaragoza donde surge Javier Bátiz, de donde sale Santana y donde en Lomas Taurinas asesinaron a Luis Donaldo Colosio en 1994. (A fines del siglo nada más falta que los investigadores corran la versión de que fue suicidio.) En los noventa Santana echa a andar una fundación de apoyo a madres solteras tijuanenses. Ver Javier Bátiz. Leer la novela *El aborto* de Richard Brautigan, y *La nana de Santana.*

Tosh, Peter: Ver reggae. Lo matan en 1987 luego de sacar su disco *No Nuclear War* y días antes de que maten a Jaco Pastorius. En 1978, el año en que en concierto y frente al primer ministro jamaicano y 30 000 entusiastas, se fuma un toque pidiendo que se termine la hipocresía alrededor de la marihuana, graba un disco con Mick Jagger. Graba *Legalize It* en 1976. A fines de los noventa el embajador colombiano en México pide lo mismo (¡legalícenla!) y en Amsterdam este asunto funciona sin mayor problema. Mientras tanto millones de dólares en juego impiden cualquier otro acercamiento a los asuntos de la droga: el negocio es el negocio. Leer *Aguas de Jamaica.*

Travolta, John: Bailarín y dianético que con el tiempo devino buen actor. En 1998 alguien decide relanzar su disco y película con el nombre de *Vaselina*... ¡Auxilio! Ver Australia, Monterrey, Grateful Dead y *Las ropas diabólicas que los lagartos visten.*

U

U2: Dos veces se presentan en México. El cantante Bono (sólo Sting le hace la competencia) no pierde la oportunidad de participar en discos "homenaje a"... A la muerte de Sinatra se vuelve a transmitir el video donde salen juntos cantando "I got you under my skin". Por esos días de 1998 tocan en Irlanda para hacer que se vote el sí a la paz. Leer *Aguas de Jamaica.*

UB40: Ver reggae hecho en la Gran Bretaña desde 1978 por exdesempleados. Alguna vez en gira por los Estados Unidos Midnight Oil les sirvió de telonero. Estuvieron en México. Leer *Aguas de Jamaica.*

Uniao de Nacoes Indigenas: Ver formas de organización y defensa del indígena brasileño. Leer *Sting y algunos hijos de la stingada*.

Unión de Vecinos y Damnificados de la colonia Roma (UVYD): Ver 1985 y sus consecuencias. Leer *Pequeño pero emotivo discurso contra la nucleoeléctrica*.

Unión Soviética: El álbum blanco de los Beatles comienza con "Back in the U.S.S.R." donde quien lee la letra recordará un éxito de Ray Charles. Leer *Noticias de las autoridades*.

U.S.S. Maddox: Ver Vietnam. Leer *La nana de Santana*.

V

Valens, Ritchie: Rocanrolero muerto en avionazo que viene a ser nuestro primer Valenzuela famoso de aquel lado. Hay una película donde la música la hacen Los Lobos. Se llama *La Bamba*. Leer *Elvis dos décadas*.

Velasco, Raúl: Se le vio en una película mexicana de los setenta con gafas y un medallón hippie colgado del cuello. Décadas después de que Parménides García Saldaña lo mencionara, en los noventa los domingos, horas luego de *Chabelo*, continúa. Sun Ra y Secos y Mojados y Elis Regina actuaron ahí, Sting se presentó en su programa, también Chicago. En mayo de 1998, al parecer, finalmente acabará todo y continuará todo con César Costa. "The torture" —cantaba Frank Zappa— *never stops*. Leer *Todo tiempo bien pasado es mejor*.

Velázquez, Fidel: Algo ahí mucho más viejo que el rock, que el mambo, que el foxtrot, que el vals, que la música, que el silbido, que fue anunciado como muerto finalmente en 1997. Leer aquí arriba Avándaro.

Velvet Underground: Grupo que en 1966 actúa en el Delmonico's para la Sociedad de Psiquiatría Clínica de Nueva York. Ver Nico y Lou Reed. Leer *Autor busca epígrafe*.

Vietnam: Ver Destino Manifiesto, México, Cuba, Filipinas, Dominicana, Nicaragua, Guatemala, Corea, Haití, Irak, etcétera. El 13 de noviembre de 1982 se inaugura un monumento en Washington. La estudiante de arquitectura de Yale, Maya Yang Lin, pone una pared de granito con más de 58 000 nombres inscritos en ella. Faltaron muchos más de este y de aquel lado. En lo referente a este capítulo en particular se puede leer en los diarios del 6 de agosto de 1995 que una guerra, 50 000 muertos estadunidenses y tres y medio millones de cadáveres vietnamitas después, el secretario de Estado de los Estados Unidos, Warren Christopher, y su homólogo vietnamita, Nguyen Manh Cam, reanudaron relaciones diplomáticas. Leer *No le compren leche a Max.*

Villéres, Pierre: Quebequense que ya murió y que escribió en prisión el libro *Negros blancos de América*. Leer *Los hermosos vencidos*. Ver Leonard Cohen.

Virgen de Guadalupe: Motivo de tatuaje en el brazo de más de un chavo, que sirvió en 1997 para que en una canción Alejandro Lora y Santana se juntaran. Leer *Más allá del trimitivismo* y *Los muros por asalto.*

W

Warhol, Andy: Ver plátano de Velvet Underground y Grateful Dead. Leer *Autor busca epígrafe.*

Watson, Johnny Guitar: Leer *Autor busca epígrafe.*

Welch, Raquel: Actriz nacida en Chicago en 1940 cuyo verdadero nombre es Raquel Josefina Tejada. Ver Grateful Dead.

Wilson, Jackie: Exboxeador y cantante negro de soul tan importante en su momento como James Brown y Aretha Franklin, gran influencia para Elvis Presley. Una admiradora enloquecida le disparó en 1961. Gordo ya, avejentado, aparecía en la tele mexicana cantando mientras Cora Flores y Andrea Coto bailaban dentro de sendas jaulas. En 1975 sufre un ataque al corazón y queda tres meses en estado de coma. Muere en el abandono en 1984. Dos años después una canción suya que había sido sexto lugar en la Inglaterra de 1966, retorna a la lista de éxitos. Leer *Todo tiempo bien pasado es mejor.*

Winter, Johnny: Bluesero nacido en Mississippi que va a vivir a Texas, que es bizco, que está tatuado, que canta como negro y desde luego no lo parece. Tocó con Muddy Waters y con Jimi Hendrix. Ha sido anunciado y cancelado en algunos lugares de México. Ha actuado también. Leer *El otro nombre del rocanrol.*

Woodstock: Nombre de un pájaro amigo de Snoopy, perro de Charlie Brown. En Inglaterra población cercana a Oxford donde nació W. Churchill y nombre de un hotel donde en octubre de 1962 tocaron los nacientes Rolling Stones. Si nos referimos al festival veamos datos para aquellos que gustan de cruzar información: El asunto empezó escénicamente a las cinco del viernes cuando Richie Havens cantó "Freedom". Warner Brothers dio a los organizadores un millón de dólares, similar cifra que ellos acusaron al final como déficit. Hubo 45 médicos de urgencias. A Max, dueño del terreno, le pagaron 50 000 y 17 000 a los miembros de la comuna Hog Farm de Nuevo Mexico para atender asuntos de seguridad. FUCK, la palabra que Country Joe hizo corear a la multitud mientras cantaba "I Feel Like I'm Fixin to Die Rag", se oyó, según testigos, a cuatro millas de distancia, los sueldos de los artistas variaron de los 18 000 para Jimi Hendrix hasta los 1 500 dólares a Joe Cocker y Santana quien luego, por derechos fílmicos, recibió 35 000 dólares gracias a las negociaciones del manejador de los Fillmore, Billy Graham y el documental de Michael Waldleigh una vez editado dio para tres horas. Catorce días después del domingo 17 continuaban las labores de limpieza y Ravi Shankar se acordó de cómo los búfalos en la India gustan de enlodarse en charcos similares a los que vio desde el helicóptero. (Graham murió en 1991 y el Fillmore East en Manhattan es hoy un carísimo edificio de departamentos.) En el libro *Revolution for the Hell of It* leemos: "Woodstock Nation was born and dilluted by the celulloid world of hip capitalism". ¿Qué fue de *Sha-Na-Na*? Ver Charlie Brown. Ver Abbie Hoffman. Leer *¿Joan Baez no es Joan Baez es Joan Baez?* y *No le compren leche a Max.*

Y

Yakarta: Finalmente, tras tres décadas en el poder, el 20 de mayo de 1998 Suharto renunció a la presidencia de Indonesia. Leer *Noticias de las autoridades.*

Yanomami: Ver etnocidio en Brasil y leer *Sting y algunos hijos de la stingada.*

Yasgur, Max: Leer *No le compren leche a Max.*

Yo sin ti: Los Hermanos Castro se vuelven a juntar en 1998 para conseguir dinero en el combate contra el Sida. Leer *Los Beatles y el mar.*

Yoko Ono: Hacedora de *Performances* nacida en 1930. Hizo la película *Smile* con tres minutos de sonrisas de John Lennon. Ver Beatles y leer arriba Cómo suena Lennon sin John Lennon.

Young, Neil: Compositor canadiense cuya vigencia en los noventa, como la de su paisano Cohen, es incuestionable. Oír músicos de Seattle y recordar que es preferible incendiarse que oxidarse. Leer *No le compren leche a Max*.

Z

Zabludowsky, Jacobo: Licenciado que en sus noticieros televisivos —en enero de 1998 anuncia públicamente otra vez que ahora sí se va aunque vaya a volver— recomienda en ocasiones libros. Prologuista de un libro sobre Avándaro. Muchos lo llaman maestro y muchos están convencidos de que si hubiera una estatua de la desinformación, tendría sus lentes. Leer *Los muros por asalto*.

Zappa, Frank: Compositor estadunidense nacido en Maryland ubicable entre John Cage, Chuck Berry, John Lee Hooker, Johnny Guitar Watson, Conlon Nancarrow y Edgar Varese. Grabó en 1988 en concierto con Sting y algunos hijos de la stingada la canción "Murder by Numbers" (se puede oír en el disco *Broadway the Hard Way*). Zappa murió en 1993 dejando viuda, hijos y una vastísima obra aún por estudiarse y disfrutarse. En julio de 1994 un asteroide que orbita entre Marte y Júpiter fue bautizado, en honor al músico, Zappa-frank. Ver Grateful Dead. Leer *Elvis dos décadas* y *Autor busca epígrafe*.

Zappa, Moon Unit: Hija de Frank. Voz en la rola "Valley Girl" donde con ironía es retratada esa habitante universal del valle californiano de San Fernando que habla *asííí, nooo te lo puedo creeer, para nada,* pero en inglés y que pulula por los *malls* gringos que, igual que aquí, existen del lado de allá del Bravo. Leer *Autor busca epígrafe*.

ZZ Top: Trío de rockeros texanos fundado en 1970 por el guitarrista Billy Gibbons, el bajista Dusty Hill y el baterista Frank Beard, que actuó en el Palacio de los Deportes el 27 de septiembre de 1991. Leer *Autor busca epígrafe*.

LOS BEATLES O EL MAR

"Quiero tomar tu mano" fue —creo— la primera de los Beatles que escuché.

Vivíamos en La Boticaria en Veracruz y era la fiesta de cumpleaños de Marta, mi prima adolescente. Tocaban, por ser sus quince, los Flammers o uno de esos grupos que más tarde se harían famosos fuera del puerto. Cuando tomaron su descanso, alguien aprovechó para deslizar en la consola Motorola con tocadiscos Garrard un disco sencillo de ese extraño cuarteto. Luego le siguieron los Hermanos Castro con "Yo sin ti", un españolito con voz de imbécil que maullaba "ese toro enamorado de la luna" y una mujer que cantaba "a mí me importa una pura y dos con sal" mientras mi otra prima, María Eugenia, poco menor que Marta, la bailaba a zapatazos. Yo era un niño que quería que se largaran todos para despertar temprano e irnos al mar. Tras de que los Flammers le cobraron a mi tía y se despidieron, los Beatles fueron tocados mil veces. Sólo ellos.

Al día siguiente nadie quiso llevarme a la playa.

EL OTRO NOMBRE DEL ROCANROL

Había un defensa central de las Chivas de Guadalajara que fue muerto a tiros en la misma Perla Tapatía y había un compositor de música romántica a mediados de siglo. Los dos se llamaban Jaime López igual que el tamaulipeco de muchos conocido y por muchos desconocido, hijo de militar, cantor y compositor de aquella rola autobiográfica:

> Salí de Cerro Azul una mañana gris,
> las pálidas palmeras me decían adiós,
> allá en 69 el cielo era un gis,
> qué más podría pedir un ínfimo infeliz,
> que estar acarnalado con el rocanrol,
> que nunca se ha llevado con el pizarrón.

Había también varios escuincles y hermanos mayores y primos y papás de los escuincles. Todos fueron al cine y vieron al gringo Michael J. Fox asediado en los cincuenta por la que era su madre en los ochenta. La película era *Volver al futuro* (ante el éxito se hicieron tres partes) y este muchacho tenía que tocar la guitarra porque el negro que se estaba dando un toque con los otros se lastimó la mano al abrir la cajuela para salvarlo.

Había un rocanrolero joven que apenas acababa de sacar su primer disco allá en el gabacho: *Greetings from Asbury Park, N.J.* Hoy todo el mundo lo conoce como el Jefe Bruce Springsteen. Él y su grupo, la mítica Banda de la calle E, tenían que tocar a principios de la década de los setenta en el Maryland Armory: Aquí viene el personal abridor, ellos. Es un lugar grande, 10 000 personas vociferan y aplauden cuando los jóvenes terminan y dan lugar al piano y a ese hombre que se monta en él y lo aporrea y canta y patea las notas y se orilla de pronto hacia el lado country de la música para justificar el que tanto sombrerudo hubiera pagado su boleto de entrada: Jerry Lee Lewis. La estrella, el tercer y contundente atractivo de la noche, no ha arribado, no se le huele siquiera a millas a la redonda.

—¿Y a qué hora nos vamos a poner de acuerdo?... ¿Qué vamos a tocar? —se preguntan los jóvenes rockeros que han aceptado, luego de su presencia sobre el escenario, salir una vez más para acompañar al roncanrolero figurón que es esperado con nerviosismo por la audiencia que ha acabado de aplaudir al blanco Lewis.

Había un rockero asesinado un 8 de diciembre de un balazo frente al Parque Central de la isla de Manhattan que dijo claramente: "Si el rocanrol tuviera que tener otro nombre, debería llamarse como él", refiriéndose a la estrella ausente todavía.

Había también una mujer que —decía el fiscal— sólo tenía catorce años pero, eso sí, formas y costumbres mucho mayores, que respondía al nombre de Janice Escalante y que se incorporó al oficio de la prostitución y que hizo que el rocanrolero estelar que finalmente arribó a tiempo al concierto en el que lo acompañaron Bruce en la otra guitarra y los demás en saxofón, bajo, batería, etcétera, terminara en el bote con cargos de corrupción de menores y cinco años para reflexionar sobre la relación existente en el primer año de los sesenta estadunidenses entre justicia y racismo. ¿Cuántas veces se ha oído como lugar común "la multitud rugió"? Pongamos ahora: "vociferó la gleba", "se desparramó en decibeles el personal prendido" o "se alborotó la gallera electrificada" en cuanto este hombre pisó el escenario con el estuche de la lira en la izquierda y la derecha saludando.

Aquí están Bruce Springsteen y la banda preparados para quién sabe qué; acá está el roncanrolero afinando frente a todos los entusiasmados fidelísimos; acá está Bruce preguntando que cuáles y volviéndose a mirar al bajista para ver si él le cacha al hombre los acordes y aquí está el hombre de San Luis, Missouri respondiéndoles:

"Es fácil, chavos, son simple y llanamente mis rolas: las piezas de Chuck".

Muchos conciertos significan muchos dólares y muchos dólares para el Tío Sam son elementos que lo tornan quisquilloso si no le das en impuestos su mochada. Así que ahí va otra vez este hombre al tambo ya para terminar la década de los setenta.

—Tocamos por nada, de gratis —dijo Springsteen—. Lo volveríamos a hacer si se tratara de acompañarlo. Es una historia guardada para contar a mis nietos: ¿Que si lo conocí? ¡Claro que lo conocí! ¡Es más, una noche yo formé parte del grupo que lo acompañó en el escenario!

Y había una década que marcó la mitad del siglo XX y que justo en el medio se estremeció con un disco de la compañía Chess: "Esto es el rocanrol chamacos"...

Y aquí tienes a los papás escandalizados subiéndoles al rostro el tono rojizo —santaclós observando indignado a sus hijos bailando "Maybellene" y "Wee Wee Hours" y "You Can't Catch me", imitando el paso de pato con la guitarra al frente y la cabeza bien peinada sobre el plateado traje:

—Primo Chuck —le dice por teléfono el guitarrista de la mano cortada que salvó de la asfixia y el encierro en la película a Michael J. Fox— escucha esto: ¡Es lo que has estado buscando!

Y aquí tienes a Jimi Hendrix tocando "Johnny B. Goode" mostrándole a los grupos de heavy metal que en los noventa también tocarán "Johnny B. Goode" que el secreto está en matiz más allá de la velocidad y el decibel; y aquí tienes la cruda fuerza del punk recuperando la fuerza cruda de este rocanrol a su manera; y aquí tienes a Johnny Winter interpretando "Johnny B. Goode" y "Roll over Beethoven" como años antes los Beatles y a los Beach Boys agandallándole "Sweet Little Sixteen" para hacer "Surfin USA", al mexicano grupo Naftalina —que luego de tanto tiempo y esfuerzo suena como debería de haber sonado cuando nuestro hombre en pleno éxtasis de adolescentes se subía a los escenarios sesenteros— haciendo una parodia y a la vez homenaje al guitarrista que tocó el "Too Much Monkey Business" para ponerlo en acetato justo el día en que a mí el doctor me enclaustraba en la incubadora por llegar temprano en meses y a la vez tarde para escuchar en vivo y en su justo momento a quien le dio la música de "Johnny B. Goode" a Jaime López para "El Rocanrol del Pizarrón" y para tantos otros que podrían sonar a "Memphis" y a "School Days" y a "One for my Baby and One More for the Road", o no podrían sonar aunque, ni duda cabe, siempre están presentes porque el rock no tiene caso si no se menciona a este señor como influencia, como raíz, como explicación, como causa, origen, presencia... cosas por ahí.

Había un montón de gente en el Auditorio Nacional de la ciudad de México un día de abril del segundo año de la década con la que concluye el milenio del que hablo. Más que blueseras razones para escuchar a Ray Charles y a B.B. King no faltan. El tercero a la escena llega justo a tiempo, casi 40 años después, pero a tiempo dentro del mexicano concepto de lo que es el tiempo. Su actuación será entre distraída y desganada (tanto por rola y tanto más si quieren que haga el paso del patito) y sus compañeros no serán Bruce Springsteen y la mítica banda, pero ahí está ante la prendezón del personal nostálgico y alucinado. Libra, rocanrolero del 18 de octubre y faltando un minuto para que dieran las siete nacido por la mañana.

¡Damas y caballeros, si los hay!... ¡Con ustedes: El otro nombre del rocanrol!

MÉXICO 1968: MANUAL DE BUEN COMPORTAMIENTO

México, D.F., abril 15 de 1968

Circular a los alumnos

México es la sede de los XIX JUEGOS OLÍMPICOS. *Nuestra ciudad fue elegida por el Comité Olímpico Internacional entre otras que la solicitaron. No sólo es un honor, es además una gran responsabilidad la que nuestro país ha adquirido y si realmente nos consideramos "buenos mexicanos", lo menos que podemos hacer es poner todo de nuestra parte para que resulte bien.*

No digas: ¿qué puedo hacer? ¡Sólo soy un alumno! Tu ayuda puede resultar valiosa, ¿cómo? A los mexicanos se nos ha tachado de irresponsables, negligentes, y tenemos que demostrar al mundo que no es así. Cada uno debemos poner nuestro granito de arena para lograr que se lleven una bella imagen de nuestro país. Puedes cooperar de mil formas.

Sé responsable. Tanto en la escuela como en tu hogar. Por ejemplo, si el jardín del frente está algo descuidado, ¿por qué no le propones a tu papá que el sábado trabajen juntos en él? Si la fachada de tu casa necesita pintarse de nuevo, sugiérele que la arreglen. En el colegio, pon especial cuidado en no ensuciar el patio. Si tiras allí siempre papeles, lo podrás hacer también en la calle. ¿Te imaginas la impresión que causaría la ciudad sucia y descuidada?

Sé puntual. Llega a tiempo: tal vez no lo hayas notado, pero la falta de puntualidad puede desprestigiar grandemente al país. Levántate a buena hora en las mañanas. No vale la pena correr para no llegar oportunamente; sólo sacrifica unos minutos más del calor de tu cama.

Sé ordenado. ¿Te imaginas qué sucedería si todo estuviera desorganizado en los Juegos Olímpicos? Por la misma razón tú debes ser metódico en tu casa.

Sé honesto. Si durante alguna competencia hubiera un fraude de cualquier tipo, el país no podría quedar peor. Desde luego que tú no vas a ser árbitro en ninguna, pero tu honradez contribuiría a favorecer la imagen que proyecte nuestra ciudad. Lo que tanto se ha dicho es cierto; estudia y no copies. No engañas a nadie más que a ti mismo.

Sé cortés. Si encuentras a algún extranjero en la calle, pregúntale si busca algo. Acompáñalo a donde va, si no sabe cómo llegar; o simplemente hazle un poco de conversación. Pregúntale de su país, de lo que piensa del nuestro. Pero por favor no se te ocurra averiguar si te dijera que es de Checoslovaquia, por ejemplo, dónde queda. Entérate un poco de todo. Lee, aprende, localiza la procedencia de los competidores, memoriza las capitales de sus países, demuéstrales que somos un pueblo culto.

Usa tu inglés. En la mayoría de los países se habla y si tú tienes la ventaja de estudiarlo, practícalo y ayúdalos. No podemos ya vivir encarcelados en una sola lengua.

Sé buen deportista. Aprende a aceptar derrotas. Si asistes a algún evento, compórtate como es debido. No somos salvajes, ni debemos aparecer como tales. Que gane el mejor, ¿no crees? Aunque desde luego que trataremos de superarnos.

En esta olimpiada tú serás un participante activo, recuérdalo, todos tomaremos parte en ella y procuraremos que la invitación para presentar un México digno y un ciudadano mejor no quiera decir adquirir un traje nuevo para lucirlo brevemente, sino aspirar a que el honor que nos ha sido conferido, sea el motor que impulse al pueblo mexicano para aspirar a alcanzar mejores metas.

¡Hasta la próxima!

Comité Olímpico de la Escuela Moderna Americana. Presidente: María Luisa Novaro. Vicepresidente: Arturo Cárdenas. Secretario: Héctor Sarmiento.

NO LE COMPREN LECHE A MAX

Entre la noticia que daba cuenta de Félix Pappalardi tocando el bajo finalmente con su propio grupo (¿alguien conserva audible hoy que los sesenta cumplen treinta un elepé de Mountain?) y la información de que Jefferson Airplane andaba en pleito con la RCA, porque, entre otras razones, no le permitían a Grace Slick grabar las frases: *up against the wall, motherfucker* (nalgas a la pared, culero) y *doesn't mean a shit to a tree* (vale lo que soplas), el número 40 de la revista *Rolling Stone* fechado el 23 de agosto de 1969 —aunque publicado semanas antes desde San Francisco, California— hacía saber al lector algunos detalles sobre un cercano acontecimiento rockero bajo el título *El festival de Woodstock anda huyendo*.

"La Exposición Acuariana de la Feria del Arte y la Música de Woodstock —ése era el nombre completo— que fue movida quince millas del punto original Woodstock a Wallkill en el mes de mayo, ha sido trasladada de nueva cuenta y ahora se le programa en Bethel, Nueva York, a 45 millas de Woodstock y a 98 de Manhattan. Las fechas siguen siendo las mismas: del 15 al 17 de agosto."

La nota continúa informando cómo los 10 000 fulanos que poblaban Wallkill nada querían con los rockeros, así que vinieron amparos, demandas y fuertes discusiones que llevaron a los organizadores a mejor intentar con los 2 366 habitantes de Bethel: "El Comité de Ciudadanos Consternados de Wallkill aducía que la Feria sobrecargaría la capacidad del pueblo para lidiar con la higiene, el tráfico y la seguridad y, en general, rompería abruptamente la vida cotidiana del pueblo. Woodstock Ventures —nombre de la compañía organizadora— afirma que, sin embargo, se han tomado medidas en lo referente a la higiene y el tráfico y que se han contratado 300 policías de la ciudad de Nueva York —ese día de descanso— para controlar a la multitud. Además de eso, ya se está tramitando un seguro que cubriría cualquier contingencia y cuyo costo es de tres millones de dólares".

El caso es que ni a Woodstock ni a Wallkill. Bethel, en cambio, dio la bienvenida al asunto a organizarse en el rancho de Max Yasgur, lechero con serios problemas del corazón que cobraría nada más 50 000 dólares por el préstamo de algo así como 600 acres (cada acre mide 40 hectáreas y 40 centiáreas así que haga el lector el cálculo y llegará tal vez a la friolera de 240 y cacho). Sólo una pequeña señal de protesta se pudo ver a la mitad del pueblo. El cartel, impreso aseadamente, decía: "¡Detengan el festival hippie de Max. No queremos a 150 000 hippies aquí. No compren leche!"

Años después se supo quién había mandado poner el escrito: Charles Jarreaux, comerciante texano introductor de leche envasada en tetra-pak en la costa este, buscaba debilitar a los granjeros que aún expendían su producto en cilindros y de manera directa.

Hasta ahora se han vendido 60 000 boletos para el evento de tres días que promete por 7, 13 y 18 dólares por uno, dos y tres jornadas, la presencia de 28 números estelares. Entre los nombres mencionados están Janis Joplin, Jimi Hendrix, Jefferson Airplane, Joan Baez, Ravi Shankar, Bood, Sweat and Tears, Who y The Band. Además habrá lugar para poner la tienda de campaña y cocinas. Mientras tanto, los cuatro promotores (Kornfeld, Lang, Roberts, Rosenman) están levantando una demanda contra organismos e individuos responsables en el pueblo de Wallkill, para recuperar los millones de dólares que ha costado el traslado a Bethel.

¿Cuántos de los nombres ofrecidos llegaron a convertirse en realidad? ¿Cuántos de los que estuvieron en la película (finalmente exhibida en México en los ochenta con largas colas afuera de los cines), cuántos de los del álbum con triple larga duración, del compacto aparecido a finales de los ochenta, existen todavía en la vida y en el escenario para el festival de Woodstock que en 1994 (nostalgia es negocio) se organizaría entre nuevos lodazales y anuncios de bebidas de cola en agosto? Treinta años después de los sesenta hay confusión y hay leyendas. Actuó aquél, no actuó aquélla...

Richie Havens inauguró ante 200 000 personas a las cinco diecisiete del viernes con Freedom pero ¿quién le siguió?... ¿A qué hora tocó Hendrix el himno estadunidense la mañana siguiente? ¿A las nueve?...

¿Qué fue de John Sebastian, de Arlo Guthrie, de Alvin Lee, de

Sha-na-na, de Sly y la familia piedra (como gustaban de traducir algunos locutores mexicanos de radio que ufanos y doctos le llaman a Max Roach Maximiliano Bacha?)... ¿Es cierto que el granjero que atropelló con su tractor a aquel joven en su saco de dormir ahora está metido de lleno en el Partido Republicano?... ¿Es verdad que Joe Cocker arriesgó su vida en el lodazal escénico para cantar "With a little help from my friends" pero que su agente tardó en demandar menos de lo que duró la rola?... ¿Es cierto que hubo 400 malos viajes lisérgicos atendidos por médicos voluntarios?; ¿que cuatro niños nacidos ahí hoy ocultan sus verdaderos nombres (Aquarius, Woodstock, Peace, Freedom) tras Julia, Ken, Dan y Jodi? ¿Alguien ha visto diez veces la película *Flashback* con Dennis Hopper y Kiefer Sutherland? ¿Recuerda la frase aquella que dice el actor que también salió en *Easy Rider*: "Vamos a hacer que los ochenta parezcan a los noventa como los cincuenta a los sesenta"? ¿Alguien sigue convencido que la mayor parte del tiempo en ese festival tocaron los Doors simplemente porque en México les regalaron un elepé de Morrison y compañía a la hora de comprar el álbum triple del festival? ¿Alguien sigue apostando a que Moisés Solana corrió en Woodstock? ¿Cuántos libros sobre este festival se han escrito citando a Abbie Hoffman, a Marcuse, a Benjamin, Adorno, Jerry Garcia, Angela Davis, Rudi Dutschke, Martin Luther King, Country Joe McDonald y Jürgen Habermas alrededor del tema; desde el yo estuve ahí hasta el yo no estuve ahí pero pude haber estado?... El festival de Woodstock, que no fue en Woodstock (bueno, tampoco el de Atlanta fue en Atlanta), dio, ha dado y seguirá dando mucho más que el documental de Michael Waldleigh, los discos, unos cuantos litros de leche bien vendidos y un momentáneo dolor de cabeza al comerciante Charles que, finalmente, empeñoso como era, introdujo el tetra-pak en el antiguo territorio de las trece colonias.

—¿Dónde es esa nación de Woodstock? —preguntó el juez a Abbie Hoffman...

—En mi cabeza —respondió—. En mi cabeza.

Un lustro después de lo acaecido, el corazón de Max, lechero y bienhechor, falló definitivamente.

ME HUBIERA GUSTADO ESTRELLAR
UNA COPA CONTRA EL SUELO

He recuperado un disco y lo estoy escuchando en este mismo instante. La primera vez que lo oí fue en una casa que alguien nos prestó a mi madre, a mi hermano y a mí. Mejor dicho, mi madre la pagaba porque la universidad se la iba descontando de su sueldo mes con mes, pero yo no lo supe sino hasta años más tarde. Estaba llena de cucarachas allá en San Antonio. Me pregunto si habrá habido tantas cuando todavía era territorio mexicano. ¿Habrá alguna caminado sobre el muñón del dormido presidente cojo? ¿Cuántas morirían en el asalto al Álamo?

Yo aprovechaba la avanzada tecnología para hacerlas desaparecer del mapa. Había en el fregadero un aparato al cual echabas la basura. Aquella aventurera cucaracha que llegara hasta ahí era tragada de inmediato y ninguno de sus múltiples familiares cucarachas volvían a verla jamás. El aparato cumplía aunque esto no mermaba realmente a la población. Por esos días, a unas cuantas cuadras, un gringo desesperado incendió su casa para librarse de estos molestos huéspedes. El calor del verano y el inflamable material con la que estaba contruida, hicieron que el espectáculo ofrecido a los curiosos durara francamente poco. El hombre fue subido a una ambulancia en tanto que, en los todavía calientes escombros, varias cucarachas correteaban buscando qué llevarse a la boca. La compañía de seguros no quiso indemnizar al pirómano.

Nosotros comíamos pizzas y hamburguesas y veíamos televisión. En aquel entonces *Tierra de gigantes* estaba de moda. La hacía el mismo tipo de *Viaje al fondo del mar* y de *Perdidos en el espacio*, sólo que ahí los pasaban en inglés. Podías sentarte hasta muy noche frente al aparato y practicar idioma comiendo todo el tiempo y humedeciendo el bocado con cerveza de raíz, *Dr. Pepper* y cocas dietéticas. Sólo eso estaba en el refrigerador cuando llegamos. A mi madre no le había alcanzado el tiempo para comprar leche. Se vendía en galones de cartón.

Nunca entendí bien a bien por qué nos mandaron a mi hermano y a mí a una escuela bilingüe inglés-español. Mi padre debió decidirse confiando en que el francés lo aprenderíamos en casa. No contó, creo, con que la separación entre ellos sería demasiado temprano. Además, de niño, siempre odié el francés. Era muy sangrón pedir las cosas en la mesa en una lengua así cuando apenas y alcanzaba a balbucear el español.

Yo lograba hablar con todo el mundo allá en San Antonio. Incluso les parecía gracioso: un niño que platicaba como gringo sin serlo. Eso era motivo de orgullo para mi madre. Para mí no. Ella a todos presumía que podía sostener una conversación. Era cierto ¿y qué? Lo importante no es poder hablar sino tener qué y con quién. La verdad es que yo detestaba los Estados Unidos tanto como odiaba Guadalajara y Ciudad Satélite. Los tres, creía, eran lo mismo.

Bueno, pero lo importante es que he recuperado el disco. Claro: es otro. Aquél me lo robaron con lo demás. Se metieron una noche aprovechando que yo estaba fuera de la ciudad. Tuvieron tiempo de escoger, empacar, doblar, cagarse y montarlo todo en mi carro. ¡Carajo: cagarse!

El disco es fácil de encontrar. No me costó mucho. Además ya me había hecho el firme propósito de conseguirlo a cualquier precio. Susie, con la cual acabé retozando en el piso en Villa Olímpica muchos años después, lo llevó a la casa aquel día. Era de una sola planta y estaba al fondo de la calle en una especie de cerrada llena de árboles. En México este tipo de construcciones no estaban todavía muy en boga. Ahora sí. Había una alberca común en la que casi nadie se metía y había un tocadiscos. Además, claro, la tele a colores. Por las fotografías en el buró de la recámara donde dormía mi madre podías suponer que la dueña era una viejita gringa.

Pasaba seis meses en Europa y seis en su casa. Aquí y allá con el dinero de las rentas de ésa y otras propiedades.

Su marido había sido militar. Creo que eso nos lo contó Susie. No sé si era compañera de trabajo de mi madre o su alumna o las dos cosas. Sé que me impresionó verla cuando llegó y preguntó por mi madre y no le importó que no estuviera. Se metió, lo sacó, lo oímos y al final me lo obsequió. En esa casa no había discos o los tenía escondidos la dueña. A veces sólo una vecina cuarentona que estaba muy buena de cuerpo pero muy arrugada de la cara salía a tomar el sol por las mañanas. Se ponía boca abajo para que se le quemara la espalda completita. Ahí sí que me hubiera gustado ser *Mi marciano favorito* para levantarla en el aire con un dedo y verle todo el frente. Recuerdo bien el cuerpo de Susie desde el primer día. El timbre sonaba igual al de Avon llama. Ella había estado en Woodstock y tenía unas tetas pequeñitas pero como dulces, como bombones de los chiquitos debajo de la tela de la verde camiseta. No usaba brasier y tenía pecas en toda la cara y en los hombros. Sus ojos eran muy grandes y traía el pelo corto como un hongo. Hablaba mucho y cuando se reía mostraba toda la dentadura.

En Texas nada era igual. Susie anduvo con un chicano y escandalizó a todos. Dormían juntos y después vivieron juntos hasta que él se fue a vender propiedades a Austin donde se casó con otra chicana. Se llamaba Johnny. Era moreno, fuerte, lampiño y también le gustaba mucho Janis Joplin y Chicago Transit Authority y Carole King. En su departamento tenían una habitación donde nada más había una batería, ceniceros, un montón de cojines y el tocadiscos. Su hermano, Domingo, murió en Vietnam. Había vivido con ellos el año que duró el entrenamiento. Dormía en ese cuarto. Luego de acostarnos Susie me habló de Woodstock. Había acampado en un lugar cercano lleno de árboles con uno que era su novio de San Luis Missouri y que después vivió en San Francisco. Llegaron hasta ahí en una vieja camioneta pintada de amarillo con estufa y regadera y cama. Yo no me acuerdo de quién era el departamento. Habíamos ido a cenar y tuve que dejar el coche fuera del estacionamiento. Era muy tarde para irnos. Nos dejaron quedar en la sala. Nada más los dos. Los demás se habían ido. La recuerdo como un todo diferente. Cada que oigo "Summertime" o el "Blues de la tortuga", ahora por ejemplo, me acuerdo que fue con ella, con su imagen diez años mayor que yo, que me masturbé por vez primera. Yo debo de haber tenido doce o trece. Mi hermano 16. Mi madre se había ido y nos quedamos matando cucarachas hasta que se aburrió. A unas cuantas cuadras estaba el *Jack in the Box*, así es que se podía ir caminando a comprar hamburguesas, papas, root beer. No quise acompañarlo. Puse el disco y comencé a pensar en Susie mientras observaba las extrañas caricaturas de la portada. En México coleccionábamos unas estampas de frutas y verduras parecidas. Las vendían dentro de unos sobres transparentes por 20 centavos en las tlapalerías. Cuando lo oí regresar me fui a encerrar al baño. Mi hermano quitó el disco y puso la tele. Había pasado ya

Tierra de gigantes. Yo le seguí hasta que me cansé mucho, me dolió y comencé a llorar. Jamás le dije a Susie. ¡Qué le iba yo a andar diciendo! Ella se volvió a San Antonio como una semana después de la noche de Villa Olímpica. No la vi más. Mi hermano y mi madre se quedaron allá y yo regresé a la escuela en México. De todas formas siempre odié los Estados Unidos: Cotulla, Amarillo, Houston, Port Arthur y Laredo, nada que los diferenciara. Eran San Antonios más o menos grandes llenos de gente que comía pavo el día de gracias y tenía máquinas de coca-cola en sus trabajos y en las lavanderías. La viejita había cerrado el clóset de su recámara con llave y las cucarachas hallaron ahí su perfecta guarida. Un día le dije a mi hermano que yo sospechaba que ahí dentro estaba el cadáver uniformado del señor. Nunca entendí por qué si lo hizo con los discos no aprovechó también para esconder las fotos. Y de todos modos ¿qué podía tener? ¿Dean Martin? ¿Perry Como? ¿Bing Crosby?...

Ahora me voy a tener que levantar y darle vuelta nuevamente. Y es que el "Blues de la tortuga" me gusta mucho pero no lo demás del lado dos. Bueno, "Ball and Chain" más o menos.

—¿No te hubiera gustado ir a Woodstock? —me preguntó Susie aquella noche.
—No lo sé —le respondí—. Si acaso me hubiera gustado estrellar una copa contra el suelo.

VIVE PUES LA MUERTE AGRADECIDA

¿Qué ha sido del bebé?

El bosque estaba ahí. También la habitación y los coches. En un segundo plano: *Aoxomoxoa*. La voz, extraña. Era lo mismo pero nada resultaba familiar. Te lo habían advertido: "El ácido, mi buen, es otro pedo, *totalmentotropedo*".

La primera vez que sale un toque acapara de inmediato la conversación. Que si la calidad, que el precio, la manera de limpiar, forjar; los apañones y tácticas para desafanar según han contado a cada uno los expertos... Tú lo dijiste: "Ya... Parecemos viejas en lavadero hablando de lo cara que está la mugre vida".

El Gordo y Beto siguieron fumando, callados.

Pasones después, honorablemente labrada la experiencia, el surtido de tópicos es mayor y hasta el silencio puede perder su tono vergonzante:

"Nomás no te claves —le dijiste al Gordo al tiempo que Alberto soltó la carcajada y el humo— ...nunca te claves".

El Gordo se levantó y quitó el disco. Diecisiete minutos de "In-A-Gadda-Da-Vida —se dio cuenta— no destronan a Ringo por más que Ron Bushy fuerce bíceps. Había llegado el momento del *Sargento Pimienta*. El Gordo movió la aguja hasta "Un día en la vida" con la práctica devota y cuidadosa de un cirujano. Alberto y tú aplaudieron la decisión.

Esa tarde fue la primera vez que hablaron del Yustis. Había vuelto de California. Lo agarró la policía gringa después de un buen rato de rolar por San Francisco y sus alrededores: "Me pusieron de patitas en la border", dijo. Venía muy raro.

—Es que una cosa son los pasones —toques-de-luz-negra-dientes-blancos-incienso-*let-it-be*, aseveró Beto con tono doctoral— y otra cosa es un ácido.

—¿Y tú cómo lo sabes? —preguntó el Gordo un rato después—. Los tres se miraron y echaron a reír. Nunca en la vida habían visto un ácido, mucho menos lo habían probado. El más cercano a la experiencia, al menos platicada, eras tú:

> *La vibración no se termina. Sube. Cruzas el portón y empiezas a escalar la gran montaña. ¿Quién carajos la puso ahí?... Es una gran montaña. Y no hay placer mejor que llegar a la cima. Es un eterno segundo de placer, como si fuera el último. El último momento de toda la existencia estirándose hasta donde uno quiere. Ora sí que da last uan. Volteas y ves a todas partes, los cuatro puntos cardinales te dan chance. El enorme portón apenas logra captarse completo. En ese momento la realidad deja de ser una película porque la realidad no es más que el filme de ti mismo mirándote allá arriba con el tiempo vuelto trozos que te aplastan la cabeza encabronadamente. Estás metido en un concurso donde tú mismo optas por el gran premio o arriesgas todo para poder seguir. No pides explicación. Es como si dijeras con güevos: voy hacia donde vaya. Imagínate: estás tan alto como si fueras un grano grande en la segunda joroba de un camello bien parado sobre un volcán. Así de alto. De pronto entiendes que hay dos ciclos vitales que se sincronizan, que se están sincronizando ahorita. Estallas al mismo tiempo que el volcán y se provoca una conmoción en todo el universo. La jaqueca colectiva de los dioses en una sola cabeza solitaria. Todo hacia adentro. Un jedeik como una inyección. Afuera el camello sigue pastando y maldiciendo sus patas que no dan chance de exprimirse de una vez y para siempre el incómodo barro. Dos jorobas ya son suficientes. Pero ahí ha sucedido algo. Netamente... Nadie te lo creería si logras explicarlo. ¡Nadie!*

Al Yustis no había ya quién le agarrara la onda. Sólo tú aguantabas una vez que se había encarrilado en sus peroratas. Quién sabe cómo le hacía para carcajearse sin perder el hilo. Era un misterio la manera en que regresaba otra vez al centro de la conversación luego de tanta vuelta. Concluida la cáscara, más por falta de luz para ver la pelota que por cansancio, se sentaban en la banqueta, juntos. El Yustis te miraba, te contemplaba un rato y, como dándose cuerda, empezaba. Los demás se largaban apresuradamente con cualquier pretexto: ayudar en la tienda de Nacho con las cajas, la leche en el establo a punto de cerrar, las galletas que habían encargado a las monjas de Nextengo, los tamales. El Gordo y Beto hacían lo posible por salvarte con una invitación a merendar en alguna de sus casas para después, escuchando Sticky Fingers, disfrutar de los últimos *Playboys* que Beto le volaba a su hermano mayor antes de que se los llevara a la peluquería. Ofertas así, en otras ocasiones tentación irrechazable, te interesaban menos cada vez. En los últimos tiempos una extraña curiosidad por la vida del Yustis del otro lado te mantenía ahí, junto a él, en la banqueta de la Primera Privada de la Rosa.

Apenas un par de años antes los grandes los corrían a ti y a tus amigos, interrumpiendo la carreterita y el avión, para echarse un tochito trascendente. Era más que necesario demostrar a los de la Segunda Privada con algunos refuerzos venidos de la Tercera y de Recreo, quién seguía mandando ahí. En esos días el Yustis era lo que se llama un verdadero chingonazo. Agil, correoso, tenía una manera especial de mover las nalgas en las corridas que lo hacían inatrapable. Era, con mucho, el mejor anotador de Azcapotzalco. Y no sólo destacaba en el americano. Los sábados en el frontón del fondo de la privada derrotaba a cualquiera, joven o ruco, rápido o mañoso, ya con raqueta o a mano limpia, de apuesta o por puro deporte: a todos se los enfundaba parejito. Por la tarde, los fines de semana, sacaba a relucir también su enorme habilidad para el futbolito. A don Elías, dueño del frontón, se le ocurrió mandar hacer unas porterías de alambre, pequeñitas. De no ser porque costaba 40 varos hora su alquiler, hubieran despojado a la calle de todo el personal deportista abandonando al escuinclerío toda la cancha para pintarrajear, con pedazos de ladrillo, carreteritas cada vez más sinuosas, largas y complicadas.

Nunca supiste bien a bien cómo el Yustis se las agenció para irse a Gringolandia.

—Voy a ser rockero —le dijo a Roberto, su mejor amigo.

El Yustis tocaba guitarra y cantaba en inglés. Tuvieron un conjunto que actuaba los fines de semana en los baños El Tíber. No duraron. Con su partida el grupo se disolvió. El Yustis convenció a Roberto para que jalara con él, pero éste no aguantó ni quince días fuera. De Tijuana se regresó echando pestes:

—Es que estaba muy orate —te dijo. No hizo más comentarios y tú ya no insististe.

Cuando el Yustis regresó no hubo nadie de su vuelo que lo buscara. Ya cada quien había agarrado su propio patín, así que él comenzó a rolar con los más chavos. Esos mismos que, como tú, ya habían crecido para correr a los nuevos escuincles de la Primera Privada de la Rosa. Con todos cascareaba con la maestría tradicional. Jugaba coladeras, tochito, pero sólo contigo se sentaba un rato a platicar. Otras veces se iba a mirar pasar tranvías en la avenida Azcapotzalco hasta bien entrada la noche. Nunca dejaban de circular. Una vez lo seguiste. Estaba sentado en la banqueta del otro lado de la tienda de Nacho. Propusiste, dispuesto a disparar, un chesco. Volteó, te miró un rato largo, como siempre, y como si se lo hubieses preguntado te dijo:

Son como tuertos que no pudieran olvidar su otro ojo, ¿verdad?... Los tranvías son como tuertos que no pueden olvidar su otro ojo. Lo añoran cabrón. Claro, no pueden ser cíclopes si están encerrados en una ciudad como ésta, atrapados por ella, con sus cables y sus rieles quemados. No les queda otra sino rodar y encontrar placer en su reducido universo de metal y de ritmo. No les queda sino anunciarse tocando la campanita antes de echar a andar a cogerse lentamente, de esquina en esquina, los pedazos de calle, los cachos de ciudad, las cuadras con árboles de la avenida Azcapotzalco y las cochinas manzanas que parten Centenario. En México los tranvías son tuertos resentidos que van sin prisa, suavemente, como en otro tiempo pero ahora... ¿Sabes qué? En mi próxima vida seré tranvía, reencarnaré tranvía. Seré la primera reencarnación de humano en tranvía. Pero no aquí. Voy a ser tranvía en Frisco. Y un día voy a sorprender a todo el gabacho personal. Aceleraré a fondo hasta alcanzar la velocidad que me deje saltar de mis rieles y que me permita echar un soberbio clavado digno de la Quebrada en medio del océano Pacífico. Imagínate qué onda al draiver. Imagínate los peipers anunciando incrédulos que un estritcar cometió suisaid con más de sesenta turistas japoneses a bordo. Imagínate a los disciplinados amarillos burbujeando aferrados a sus cámaras fotográficas esperando a que alguien les dé las instrucciones para no felpar. El gobierno nipón protestaría y como los gringos nunca pelan ai te va tu Pearl Harbor

*second part... La tercera guerra mundial por culpa mía. Por culpa
de un tranvía suicida enfrente de Alcatraz. ¡Y es que la calaca
ronda, mi buen!... ¡La calaca ronda!*

Antes de carcajearse el Yustis volvió a repetir su frase predilecta.
La pronunciaba con la misma gravedad con la que el cura de
Clavería alargaba las erres en sus sermones. Se rio un rato y finalmente aceptó tu invitación. Le gustaba el Spur-Cola. Tal vez era el
único ser humano que conocías al que le gustaba el Spur-Cola.

Ya era tarde. Los agujeros del *Albert Hall* se repitieron muchas
veces. Los tres tardaron mucho en darse cuenta de que el disco del
Sargento estaba rayado. El Gordo mentó madres. Era lógico luego
de tanto uso. Tú también estabas enojado: en todo ese tiempo no
pudiste hallar las palabras para explicarles cómo era eso del ácido
según te lo contó el Yustis. Te quedaste callado. Si hubo ideas, se
salieron por tus orejas y no había forma de atraparlas. Camino a
casa recordaste la frase y reíste igual que él:
"Y es que la calaca ronda, mi buen".

Y todo era cierto. No pasó mucho tiempo para que te enteraras.
Pero, ¿quién te lo iba a creer? Bien claro te lo dijo el Yustis: "Nadie te lo creería si logras explicarlo. No hay quien te alcance...
Estás en otro pedo"... Nadie, ni los grandes, los que siendo de la
edad del Yustis lo mandaron al carajo, ni tus amigos, los que contigo
descubrieron a los Beatles y a los Rolling, los viejos favoritos. Ninguno de ellos tuvo la oportunidad de abandonar Azcapotzalco ese
verano para caerle a San Francisco. Tú sí.

Aunque tarde, tu madre cumplió con la promesa: ibas a aprender inglés. Por primera vez se te hacía conocer el otro lado gracias
a la combinación de los ahorros maternos, tu propio empleo auxi-
liando en la imprenta por las tardes y los fines de semana, la venta
de tarjetas de navidad los dos diciembres anteriores y la regulari-
zación del calendario escolar. Te esperaba una larga temporada
fuera de casa.

Tu tía Patro se había casado muchos años antes con un gabacho
y se fue a vivir con él a California. Un tipo raro veterano de Corea.
Nada más le acabó de montar un salón de belleza a todo lujo a tu
tía, cogió el coche y en una gasolinera camino a Sacramento pidió

el que iba a ser su último sandwich. Se encerró en el baño y de un certero disparo dejó viuda a tu tía y huérfano a tu primo el gringo. Ahora ella, al igual que tu madre, esperaban que tú y él, apenas un año mayor, hicieran buenas migas. Estaba a punto de amanecer. El conductor te informó que en dos horas más estarían en la frontera, que si traías en orden visa y pasaporte no habría ningún problema con los güeros. Ibas al mismo lugar adonde estuvo el Yustis. Regresó a San Francisco no sin antes prometer escribirte para que le llegaras. Formarían un conjunto que en Azcapotzalco no cabía. No supiste más de él. Pasaste sin problemas y tu primo, desde el principio, te cayó en la punta de los huevos. Tu presencia tampoco le causó la menor gracia. Los ocho meses se anunciaban como 240 enormes días tratando de aguantarse en mal inglés y pésimo español y 240 largas noches compartiendo habitación, baño y, lo más importante, tocadiscos. De no ser porque hurgando descubriste esa portada, de no ser porque le preguntaste qué diablos decía ahí y qué significaba, de no ser porque en vez de enojarse por tu curiosidad —después de todo el disco estaba bien guardado en su anaquel— o burlarse por tu desconocimiento de ese grupo de rock californiano, te mostró toda su colección, los días y las noches hubieran sido más pesados que un año entero de escuela sin cascarear en la privada, sin oír "Un día en la vida" o "Simpatía por el diablo"; un año saliendo solamente a recoger la leche, a comprar el combustible, a ofrecer tarjetas de puerta en puerta. Como cuando le dio paperas al Gordo pero multiplicado.

Él y Alberto leían tu primera y única carta al tiempo que tu primo ponía la aguja sobre el disco. La relación desde ese instante fue otra.

Tu tía y ustedes vivían en el mismo lugar pero separados. Así lo quiso su padre. La casa grande estaba al frente y el cuarto de tu primo, completamente aparte, al fondo. Se podía entrar por una puerta desde el garaje o por la barda que estaba atrás colindando con un terreno baldío lleno de lagartijas verdes. Los primeros días tu tía Patro te hizo sentir definitivamente un intruso, casi una curiosidad. Algunas de sus amigas te fueron a ver como a un bicho raro: "Éste es mi sobrino el mexicano", decía como si ella no lo fuera. Al mes para tu fortuna se cansó y se acabaron las visitas. Tu primo puso el disco una vez más. Al mismo tiempo el Gordo colocó "El banquete de los pedigüeños" nuevamente. Se lo regalaste en un extraño gesto de desprendimiento un día antes de partir. Bajo el celofán habías colocado una tarjeta con la traducción hallada en el diccionario.

—Pero si es tu favorito de los Rolling —dijo.

—Por eso, güey —le contestaste.

Gary, que así se llamaba, repitió el nombre:

AOXOMOXOA

Lo pronunciaste como si estuvieras hablando de Tezcatlipoca, de Tláloc, de Quetzalcóatl. Se rieron. Decía lo mismo de ida y de venida. Era lo mismo dos veces en dos idiomas. Era lo mismo cuatro veces en su propio idioma. Luego se dieron un toque, ¡tu primer toque en California! Un toque internacional. Recordaste al tranvía dando la vuelta por Centenario, la campana, al Yustis de mosca. Ibas hacia la imprenta y se bajó corriendo con el tranvía moviéndose. Estaba contento y gritaba su frase hipando de risa. Se la enseñaste a Gary porque ya eran carnales. Para el week end, prometió una vez que apagaron la luz, irían a un bosque cercano donde te tendría reservada una big surprise. A punto de dormir sonreíste cuando su voz repitió lejanamente: "La calaca rounda".

Ahora los árboles atrapan el viento. Se han puesto a silbar y sus silbidos entran por tus orejas más que despiertas inundando tus pulmones. Un gran pulmón engulle el bosque. Adentro, como Jonás frente al espejo dentro de la ballena, están tú y tu primo. El olor es el olor. Una sensación sólida. Nada que ver con el hornazo de todas las tardes escapándose de la refinería. No existe Azcapotzalco en San Francisco.

—Esto es —dijo Gary minutos, horas antes— una miniprueba, como en los viejos tiempos de Ken Kesey. Sacó un papel mientras te explicaba que desde 1966, en que prohibieron el LSD, las minipruebas se tenían que hacer en despoblado. Ahí. En el bosque. Caminaron más de mediodía. Habían avisado que iban a acampar. Y es que en una casa corres el peligro de quedarte clavado en un espejo. Te arriesgas a quedar *insaid forever*. El Yustis y tu primo lo sabían. Siempre era lo mejor ahí, el enorme pulmón, el bosque y

Gary explicando a manera de preámbulo chapurreado entre inglés y español, al estilo que el Yustis cogió luego de la primera venida de San Francisco, qué onda con Aldous Huxley y sus puertas derrumbables y Ken Kesey y su punta de ojetes viajando en un camión escolar de California a Nueva York y de regreso, con el único fin de platicarse experiencias de costa a costa.

—¿Y quién carajos son Ken Kesey y Aldous Huxley?

No podías evitarlo, estabas nervioso ahí en el bosque, el aparato de transistores, los discos de Grateful Dead y tus gritos ahora de júbilo: ¡*Aoxomoxoa!*, ¡*Aoxomoxoa!*, mezclados con las risotadas de tu más nuevo y ahora mejor cuate, tu hermano, tu guía, subiéndose contigo al camión, al autobús que cruzó hasta Nueva York y te recogió en Azcapotzalco para llevarte al bosque de Aoxomoxoa, donde todo se volvía distinto y el Yustis se aparecía y repetía: "Totalmentotropedo mi buen... el ácido es totalmentotropedo".

¿Cómo ibas a hacer para explicarle ahora al Gordo el secreto de la velocidad (si ahí está la demora no vamos a destruirla por más que aceleremos porque somos la liebre y el tiempo la tortuga), si lo más que alucinaba ya pacheco era a la tira y los puños de su jefe madreándolo la primera vez por andar hasta atrás?

—Ya te me estás ayusticiando —te diría tirándote a loco.

¿Cómo decirle a Alberto —seguro que te iba a salir como siempre con su "qué mala onda"— que ni los Rolling, ni George ni Paul ni John ni Ringo, han sido capaces de surcir los intervalos musicales, los silencios y el tiempo, como Jerry Garcia, el guitarrista de los Grateful Dead (una continuidad accidentada, una víbora reptando a la azotea) sin que saliera con que el único surcido invisible que recuerda es el de la máquina de coser que su jefe le obsequió a su jefa el último día de las madres, o una mamada similar?

—¿García?... ¿Como *Los tres García?*

No hay nada más que el bosque. Tú. Tu primo. Llegas a la puerta. Las cruzas. No esperes más. En la cima estallas mientras Gary sigue hablando, haciendo historia, descubriendo explicaciones científicas inusitadas y efímeras. Ahí está el Yustis. Jerry Garcia sigue hilando sin dar explicaciones. Un tranvía sube por las escaleras. Son las carreteritas coloradas de ladrillo de la Primera Privada de

114

la Rosa que se tornan víboras y luego veredas, caminos para subir. ¡Arriba!, ¡arriba!, en ese segundo final no existen límites. La liebre echa un vistazo hacia la meta. Parpadea. Al abrir los ojos nuevamente, sólo está el camino. La víbora se enrosca como humo alrededor de tus piernas. Es un perro fiel que desaparece lenta, silenciosamente.

Habrá que conectar un ácido acá de este lado para que Alberto y el Gordo, los dos viejos amigos, se puedan acostar contigo sobre la misma alfombra. Es la urgente tarea. No puedes dejar al personal con el que compartiste tanto, viviendo su película y creyéndosela. No se debe abandonar a los cuates así como así en el desierto, sin gozar cada uno de los momentos, todo porque sin darnos cuenta hace rato ya que el momento pasó y nosotros nos quedamos chiflando y aplaudiendo convencidos. "Al fin y al cabo ¡quién puso tanta arena ahí sino yo mismo! ¡Yo soy el creador de los desiertos! ¡Los hago en su momento! ¡Los destruyo!"

El Yustis aquella noche lo dijo de otra forma:

> *Viajas en el tranvía, okey, pero te adentras de manera artificial. Pasas. Los pasajeros sólo ven el lado de las cosas y no las cosas. Viven a la orilla del momento. Y el operador tampoco pela. Está tan preocupado por saber cómo va a aguantar hasta que acabe su turno, que no hace caso. Los pasajeros que viajan al frente se fijan sólo en los nuevos pasajeros que entran o se clavan mirando el piso. Quieren bajar cuanto antes. Sólo el tranvía penetra, rompe, se apropia y se rodea por la realidad. El tranvía con su ojo único. Ése sí. Lo demás entonces ya no importa. Hay que ser tranvía, carnal. ¿Me entiendes?*

Insiste: Para qué creer en tanto rollo si somos yo y mi pedo los que lo hacemos todo y cada quien es perfectamente yo y su pedo compartiéndose, tocándose. Ésa es la libertad: Yo y mi pedo y los otros yo y mi pedo cogiendo entre todos hasta quedar dormidos, felizmente cansados, hasta parir un yo y mi pedo colectivo. ¡Al carajo los dioses! ¡Al carajo las reglas y quien las deja ahí!...

—¡Yaaaa! ¡Ni gringo que fueras pendejo!!! Me cae, qué mala onda...

La voz de Alberto interrumpe. El Gordo aprovecha para saltarse un corte. No le gusta "Qué ha sido del bebé" de *Aoxomoxoa*, la pieza que creíste que acabaría por hacerles captar el principio del secreto del asunto. La canción con la que conociste a Grateful Dead les da a tus cuates en Azcapotzalco más bien güeva.

Vuelves a ver la portada del único disco comprado en San Francisco. Cómo volver sin él a Azcapotzalco. El sol sigue brillando en todo su esplendor rojo, blanco y amarillo. La víbora cruza debajo de la puerta. Mil pisos abajo, los coches y la gente se mueven como hormigas. En medio de ellos el Gordo menea la cabeza entre que pendejo y misterioso igual a una gallina que se esconde para poner su más enorme y vergonzoso huevo. El Gordo y su carota te miran sin saber qué pedo. Del otro lado está la fotografía de Jerry Garcia, la foto de todo Grateful Dead, de niños y mujeres, la foto de un caballo. Es el bosque. Han caminado mucho. Abajo la carretera se desliza limpísima. Un policía no llegaría tan lejos. Tu primo sigue hablando. Suena un gong. Los árboles atrapan, se tragan la reverberación. El viento escurre lentamente de las hojas. *Aoxomoxoa* está ahí.

—¡Nomás por pinches ocho meses que estuviste allá!

"Carlos el Cósmico" suena atrás. La última canción de *Aoxomoxoa* de fondo para el gesto encabronado y a la vez incrédulo de tu viejo amigo. "Carlos el Cósmico" impidiéndote escuchar la mentada de madre, el portazo definitivo. "Carlos el Cósmico" haciendo bailar a una gran gallina gorda hasta una puerta que espera para tragársela enterita.

—Aguas, cabrón, te va a estallar el barro. El barro del camello.

El Gordo no responde. Movió la manija y se fue. Ni siquiera se enojó por lo que dijiste. Detrás de su enorme humanidad adolescente queda la voz de Alberto, Alberto el Cósmico gritando meses: "Pinches ocho meses". Nomás por pinches ocho meses que ellos entienden meses porque no se dan cuenta que el tiempo es un flujo sobre el que te deslizas como los esquiadores en Sapporo. Pero no hay nieve debajo. Ésta es la más grandiosa, universal y olímpica venida y no necesitas ser campeón para tener control movimiento a movimiento de la esencia del rollo en toda su magnitud. Aquí nomás eres tú mismo. La víbora descansa en la azotea. Concluye el siseo. La aguja llega al tope, se levanta: *Aoxomoxoa* momentáneamente se detiene.

Para Alberto, para el Gordo, California es ese lugar al norte donde quién sabe qué tanta chingadera hiciste, con quiénes te juntaste, qué rayos te metiste, que te volviste otro. Beto y el Gordo perdieron

116

en San Francisco el tercer eje sobre el que se cerraba el una vez famoso triángulo *rollingstonbeatlescucha*, los oidores de los birotes y los rolinestopas, los rockeros de la Primera Privada de la Rosa.

Su amigo desapareció en el mismo lugar donde se perdió el Yustis, campeón de Azcapotzalco. El Gordo te mandó la portada del banquete. Adentro no había nada.

Ahora ya no pasan los tranvías. En el último viaje te imaginaste sentado junto al Yustis. Era "la última aventura coge-cuadras". Al terminar abandonaría Azcapotzalco para siempre. Pronto volaría durante un enorme segundo hasta caer en las azules y turbulentas aguas con su amarillo cargamento japonés. Mirabas registrándolo todo en tu memoria. Ibas solo. Arriba de su único ojo, el tranvía traía el letrero de DEPÓSITO.

La tienda de Nacho sigue abierta. Donde la imprenta, enfrente de la tienda, se ha instalado un dentista poco menor que tú. La calzada de la Rosa cambió de sentido y de nombre. Ahora se llama Aquiles Elorduy. El frontón al fondo de la privada es una secundaria. Nadie echa ya la cáscara, las coladeras o el tochito. Nadie pinta ya carreteritas ni aviones. Está invadido siempre de coches estacionados, de carritos de neveros y chicharroneros. Clausuraron el establo y las monjas suspendieron el negocio de galletas y tamales para dedicarse de lleno a los desayunos de primera comunión. Alberto se casó. Tiene la calva casi tan pronunciada como la panza. El Gordo extrañamente adelgazó vendiendo medicinas como visitador hasta que la tenacidad que su madre le inculcó, siempre en combinación con su tradicional buena suerte, se la dieron de gerente del mismo laboratorio donde por diez años recogió sus muestras. Lucen bien de traje desde la ventanilla. Sus esposas también, los hijos estupendos, todos perfectamente acomodados dentro del automóvil.

—A ver cuándo nos vemos y te vas a la casa a echarte una cerveza —ha dicho Alberto desde el volante.

—Grateful Dead —les informas— sigue vivo.

Dieron la vuelta en avenida Camarones. La voz era extraña. Ya nada resultaba familiar.

117

TODO TIEMPO BIEN PASADO ES MEJOR

—¿Qué quieres que te diga? Antes había veces muy contadas que la nostalgia te embestía como delfín sin frenos en pleno eje vial, pero últimamente me sucede seguido. Como si ya estuviera viejo, digo, cuando menos, si no viejo, sí con más de 40 años encima. Ha de ser que desde chavo me aceleré o que las cosas a mi alrededor iban muy rápidas y yo tenía que correr mucho para alcanzarlas. Tanto me acostumbré a ir en chinga que pues le seguí duro y duro.

—Y es que es como si fuera un mal del país. Si apenas y tengo 24 recién cumplidos y ya me pongo a cotorrear como ruquito con mis cuates. ¿Te acuerdas de cuando las primeras fiestas de viernes y sábado con Javier Bátiz? ¿De cómo las íbamos a buscar al Pedregal luego de estar en Pista Hielo oyendo a los Dug-Dugs y al Three Souls?... Uy, tuvimos que encender tres varitas de incienso del que vendían en Hip 70 para que no nos cachara mi jefa.

—Sí. A todos nos pasa igual. Nos juntamos a atizar un leve para luego pirar al cine o a algún concierto y luego luego nos cae, como si fuera la pinche tira, la nostalgia. Y a recordar se ha dicho. Y peor si en la tele pones de nuevo *Discoteca a Go Go* y que ya hay otra pista hielo por Satélite.

—Hay algo sin embargo que te hace sentir ridículo cuando te pones a ver a Jackie Wilson gordo y sudoroso cantando y bailando mientras la hija de esa actriz Guilmáin se sacude como loca encerrada en su jaula.

—Y después ver al Vivi Hernández imitando mal a Presley y a los Rockin Devils con Blanquita junto a Toño Quirazco que se reventaba aquel éxito de Jamaica Ska.

—Y Bill Haley tocaba el "Rock del reloj" con su flequito tan mono y tan ruquito y yo bailaba con Mayra, mi prima, seis años mayor, los pasitos nuevos del hanky-panky. Fue cuando operaron a mi jefa no sé de qué y me tuve que quedar en casa de Carlos Olivares. Ahí conocí a Rarahú y la invité a patinar y después a comernos un banana split al Tecolote para de paso transarme un

Mad y un *Charlie Brown*. Rarahú —creo que era la prima de Carlos y sabrá de dónde el nombrecito— y yo nos hicimos novios esa noche mientras bailábamos aquélla de "Hazme una señal chiquita", pero no con Jordán sino en inglés. La versión original. En español nada. Ahora sí. Ahora nomás júntate en una fiesta, saca una lira y luego luego "¿por qué se fue? y ¿por qué murió?... porque el señor se pachequeó"...

—Ya ves, ya ves, si de todo nos acordamos con grima y como que no debe ser. Eso le va mejor a mi tía Yolanda que se acuerda que bailaba "Ojos de juventud" alrededor de la mesa grande de la sala y que tumbó con sus caireles largos las figuritas de porcelana de mi abuela y no quiso decir, por lo que a todos los hermanos les surtieron por igual, ¡pero yo!...

—Aquí en la ciudad de México, con el Gengis Hank de regente, aunque ninguno de nosotros lo escogió, dio la impresión de que querías vivir una vida que ni siquiera has tenido. Que no te tocó vivir. Fíjate, yo en el 68 estaba bien chavo, si estaba apenas en primaria, pero orita lo extraño. O sea, no es que tengas ganas de otro 68, no mamen, pero es que a mí me hubiera gustado andar en los sesenta de pinche jipi en California y oír a Jefferson Airplane, a Grateful Dead, a Country Joe, o de plano nomás andar rolando con las puras chavas hasta el gorrote, deseando *pis* y haciendo *lov*.

—Sí, si es cierto. Hasta nos hacen sentir nostalgia de los sesenta como si hubiéramos tenido 18 años y hubiéramos estado muy acá haciendo cosas. En aquella época nomás pensábamos en Don Gato y en los Diablos Rojos chingándose a los Tigres y los Potros de Hierro del Atlante a los Cremas y a los Electricistas del Necaxa.

—Cuando lo del portazo de la preparatoria, yo que estaba en quinto de primaria, fui a contarles a mis cuates de la colonia Educación que los granaderos habían tumbado la puerta de mi escuela y que nosotros desde adentro de los baños les gritábamos groserías para que se fueran. Y se fueron.

—Y es que no importa echar mentiras. Lo que quieres es estar adentro de la historia porque aquí no hay historia. No dejan que haya. No como en provincia, ahí cada lugarcito se quedó igual que como lo vieron tus jefes o sus jefas o cualquier pinche viejito. En cambio aquí nomás te sientas en una banca de parque y ya te anda corriendo un policía que porque ahí va a pasar el metro o van a sembrar una palmera seca de las que sacaron de otro parque donde había una banca donde estabas tú o cualquier otro cabrón igual que tú. Es como en el radio: apenas y está de moda, vamos a decir, el sonido Filadelfia o el hustle o el disco o cualquier fresez, te lo cambian por otra y al ratito ya estás oyendo el sonido Filadelfia, el hustle y el disco que estaba en la Pantera, en Radio Trece, quesque como una de las consagradas. Todo es nostalgia, te da grima, te vuelve ruco aunque por fuera parezcas más chavo.

—Ahí está. Ahí está. Ya contestamos a tu pregunta mano. Por eso nos gusta el rock aunque sea nacional. Aunque se lo dediquen a un pinche museo tan feo como el del Chopo y le organicen un concurso tipo Estrellas Infantiles nada más que sin Pepe Ruiz Vélez y sus Toficos: es rock. Y por eso nos gusta también venir hasta el gorrote. Así ni te enteras, ni te ufanas en saber qué pedo. Nomás oyes, sientes, vibras el sentimiento del rock como dijo aquel carnal que estaba en el micrófono. Total, para que todo el tiempo nos metan sus mamadas en el radio y en la televisión de repetir lo repetido o de darnos rollos nuevos que de tanto oírtelos al cuarto de hora se arrugan, enruquecen, pues resulta preferible esto ¿no?... Es puro rock igualito que hace diez años broder. Igualito.

NOTICIAS DE LAS AUTORIDADES

Lunes de Excélsior, Yakarta, Indonesia, agosto 15, 1965:

La policía indonesia quemó publicaciones y discos de occidente por valor de 130 millones de rupias, anoche, en una ceremonia que coincidió con la celebración del día de la independencia nacional. La hoguera se prendió en el recinto de la estación central de la policía y una multitud cantó temas patrióticos cuando los libros y otras publicaciones y los discos fueron arrojados al fuego. Los oradores dijeron que aquel material que se quemaba "estaba socavando la personalidad indonesia de la cultura".

La policía informó que se echaron a las llamas 30 000 libros y otras publicaciones con un valor de unos 50 millones de rupias. La mayor parte era publicada en el país. Incluía traducciones de obras extranjeras y de historietas cómicas.

Los discos y cintas grabadas de música y canciones de occidente comprendían a los de los Beatles, los Blue Diamonds, los Ventures, los Shadows, los hermanos Everly y de Ricky Nelson y Elvis Presley. La mayoría del estilo de los Beatles (sic).

Unomásuno, Moscú, URSS, septiembre 17, 1984:

Un periódico afirmó que el ídolo juvenil estadunidense Michael Jackson, al que el oficialismo soviético desdeña, está contaminando América Latina.

Otro artículo periodístico acusó a occidente de llevar adelante una campaña de subversión con la juventud soviética con "temas alcohólicos, la franca grosería y el rufianismo", insidiosamente enseñados con música de rock.

"El virus de la jacksonmanía pasado de América del Norte a América del Sur tiene un objetivo: exprimir al máximo posible el

121

jugo de oro a los países", señaló ayer el periódico Leninskoe Znamye *(Bandera de Lenin)*.

La nota reclamó porque "en Argentina Michael Jackson tiene más amplia popularidad que los grupos y cantantes locales" y que los jóvenes pierden su tiempo imitando los manerismos de Jackson y tratan de vestirse igual que él".

El Nacional, *Hermosillo, Sonora, octubre 19, 1991:*

El menor Francisco Javier Rodríguez Montoya, de catorce años, se suicidó al parecer porque su padre lo obligó a recortarse el cabello, informó el Ministerio Público del fuero común.

El agente del M.P., Alejandro Valdés Young, indicó que el suicidio ocurrió ayer luego de que Jesús Rodríguez le exigió que se cortara el cabello pues "parecía muchachita". El menor acudió con un peluquero y posteriormente Rodríguez Montoya se volvió a rapar el cabello con una navaja de afeitar en la casa de su hermana. Desde ese momento el joven ya no fue visto hasta que apareció ahorcado con los cordones de sus tenis desde una viga de su casa.

Valdés Young explicó que en la autopsia no se encontraron huellas de alguna droga, por lo cual se descartó que se haya suicidado bajo su influjo y se infiere que decidió hacerlo por una fuerte depresión y debilidad de carácter.

Periódico Imagen, *Fresnillo, Zacatecas, diciembre 13, 1993:*

Ya que los padres de familia ni profesores, bueno ni jefes de policía pueden normar las conductas de los hijos, el coronel del ejército mexicano que entregó las cartillas liberadas de la clase 74 y remisos sí puso en su lugar a los jóvenes que acudían por su identificación de Servicio Militar al rechazarlos por encontrarse greñudos y sucios, ordenándoles que regresaran con su pelo corto (normal) y sólo así recibirían su cartilla. Lo cual las personas que se enteraron (muchas por cierto) felicitaron al oficial de rango y hasta en voz baja proponían que fuera trabajador social para concientizar a los muchachos que han caído en las drogas y en las

122

vestimentas estrafalarias donde ya no se sabe quién es hombre o mujer. ¡Bravo!, decían los enterados sobre la actitud militarizada del coronel. Una larga columna de jóvenes conscriptos se dejó ver en las escalinatas y afueras de la presidencia municipal donde los chavos con los cabellos hasta las orejas y otros con sus colitas y su arracada esperaban con impaciencia recibir su anhelada cartilla del Servicio Militar pero, ¡oh sorpresa!, cuando al llegar el coronel este, con su ceño fruncido y enojo les hacía notar —con disciplina— que se fueran a cortar el pelo, demostrando que ante la presencia y el momento de recibir este documento es de respeto y civismo por lo que en menos que se dice "ya" se desbarató la enorme columna pues la mayoría se fue a las diferentes peluquerías donde los pícaros hicieron su agosto pues todos pedían cortito el pelo. Cabe hacer notar que la mayoría de los rechazados eran campesinos que traían las greñas afuera de los sombreros y cachuchas, y otros muy a la vaquera traían sus colitas de las que lucen en los bailes de la quebradita con sus fuetes en el cinto y los pelos hasta el hombro y nada gallo que hasta las arracadas y aretes se quitaron, por lo que al menos por unas dos semanas se verán los jóvenes como hombres con su pelo corto y bien peinados, ojalá y todos los días del año se entregaran cartillas "no cree usted" (?) (sic).

LA NANA DE SANTANA

¿Merece culto Santana?

En 1963, el día de Santa Cecilia, patrona de los músicos, con la llegada de Lyndon B. Johnson al poder en los Estados Unidos (¿realmente no se lo esperaba?), la presión subió al límite:

—No seré yo el presidente que sea recordado por dejar que el sudeste asiático se fuera de nuestras manos como China —dicen que comentó el texano a Henry Cabot Lodge 48 horas después de asesinado Kennedy.

Tres años antes de los disparos que dejaron viuda a una de las (dijeron los modistas) mujeres más elegantes y más guapas (decían los locutores y las mamás clasemedieras) del mundo y que se vino a morir en 1994, una familia como tantas del centro de México, salió de Tijuana para cruzar la línea. Hay quienes recuerdan el asesinato de aquel presidente porque en Canal 5 interrumpieron la transmisión de *Don Gato y su pandilla* (¿o fueron los *Supersónicos*?); hay quienes recuerdan a la viuda porque se fue a casar con un millonario griego que, entre otras maneras, hinchó sus bolsillos con billete proveniente de la cacería ilegal de cetáceos.

Para 1967 la presión política y económica sobre Johnson le había hecho arrojar sobre Vietnam del Norte 864 000 toneladas de bombas. En el Pacífico durante la segunda guerra mundial se lanzó un 70 por ciento menos.

Los hay que recuerdan fechas y las esgrimen para establecer puntos de partida. El 2 de agosto de 1964, con la excusa del ataque al U.S.S. Maddox y la aparición de Lyndon B. (¿qué diablos es la B?) en la tele de su país, hallarán una. Otra fecha acaso venga de 1910 cuando la Revolución mexicana hizo subir kilómetros allá del Bravo en busca de otra opción a cuanto desempleado no tomó las armas; o probablemente desde 1848 cuando el tratado de Guadalupe Hidalgo obligó de la noche a la mañana a 75 000 mexicanos a tornarse estadunidenses sin habérseles consultado. A éstos, con el paso del tiempo, se fueron sumando más y más que de manera "ilegal" cruzaban a otra nación para satisfacer la demanda de mano de obra de un país necesitado de ella en los tiempos de la primera guerra mundial y no tan necesitado en los tiempos del crack del 29: un millón y medio de mexicanos había en los Estados Unidos en 1930. Muchos de ellos, nacidos en territorio estadunidense, fueron deportados. Los que manejan cifras sabrán que para 1935 se había expulsado ya a 400 000.

Durante la segunda guerra mundial los gringos volvieron a mirar hacia México. Se necesitaba alguien que trabajara sus campos y fábricas mientras los chicos de casa se arrojaban al combate. O mejor aún: "¡que se maten los morenos!".

El 4 de agosto de 1942 entró en vigor un convenio firmado entre gobiernos para supuestamente regular el paso de los braceros nacionales. Con éste y muchos otros en buena regla se "garantizaba" la seguridad de los mexicanos y sus trabajos. Nada menos cierto. En la década de los cincuenta la discriminación y la represión sobre los mexicanos en los Estados Unidos llegó a niveles intolerables. A pesar de ello, la migración siguió.

El 31 de marzo de 1968 el presidente sustituto apareció una vez más en la tele. Igual que los franceses en los cincuenta, no hemos sabido qué hacer con esta guerra y con los vietnamitas —debe haber pensado— así que no buscaré que me elijan para un segundo periodo —aseveró con gesto de cansancio.

Todos los que tienen memoria saben que muchas más cosas ocurrieron en 1968 en el mundo, incluido México. ¿Habrá alguien que se acuerde nada más de las olimpiadas y el "feo detalle" de un par de atletas negros levantando su puño retadoramente en vez de llorar emocionados meneando la medalla agradeciendo al cielo y al Tío Sam?

Treinta y un años después de que la década de los sesenta comenzó el año en que su familia se mudó en busca de empleo hacia el norte del estado de California, 29 años después de la construcción del muro de Berlín destruido al terminarse los ochenta, 28 después del encarcelamiento sudafricano de Mandela —presidente de su país en 1994—, 23 después de la matanza de My Lai, del asesinato de Martin Luther King, de la elección de Richard Nixon —muerto en 1994— y del 2 de octubre; 22 años luego del festival de Woodstock, 18 después del cese del fuego firmado en París por el Viet-Cong y los gringos, once luego del fallido intento de James Carter por rescatar a los rehenes en Irán y así reelegirse presidente, a un par de años de su anterior visita como representante de la cultura chicana el día de la liberación de Mandela, la noche en que cenó en un hotel de Paseo de la Reforma rodeado por las actrices mexicanas Ofelia Medina, Elizabeth Aguilar y Blanca Guerra, por un director de difusión cultural de universidad pública, por un productor de cine nacional y por un fulano al que negó una entrevista; a unos meses de terminada la guerra de los Estados Unidos, sus aliados e Irak; a unos meses también de la visita de Bob Dylan a México para tocar en el Palacio de los Deportes 30 años después de los sesenta, se anuncia finalmente un concierto de Carlos Santana, no en Puebla —donde tocó al mediar los setenta— no en León, Guanajuato —donde tocó para finalizar los ochenta— y sí en el Distrito Federal —donde nunca se le había autorizado tocar en público y donde la que iba a ser mi hija Eréndira bailaba la electrificada nana de Santana tras siete meses de ruidos amnióticos en la barriga de su madre Marcela en el primer concierto de rock de un bebé en gestación.

¿"Merece culto Santana"? se preguntó abajo del título de este escrito como deben de habérselo preguntado liberales y conservadores mexicanos en el siglo XIX con otro personaje de igual apellido.

Quienes leyeron la revista *Melodía diez años después* en 1979 deben recordar esa pregunta. Así se llamó un artículo de Óscar Sarquiz en el que a la interrogante contestaba, argumentando su respuesta, que sí.

Veinte años después hay muchos que siguen de acuerdo con el cronista crítico. La maestría del nativo de Autlán, Jalisco en la guitarra y en el equilibrio de tiempos presente y pasado, hacen saber a quien quiere enterarse que, a pesar de los embates y la banalización, mucho de los sesenta y lo que de ahí salió —guitarrista jalisciense incluido— permanece más allá de la simple moda y la ordinaria nostalgia.

—¿De qué quieres hablar? —me dijo esa noche con chicano acento. La puerta del ascensor aún no se abría.

—Pues de Mandela liberado, de John Coltrane, de la música, los chicanos, la Virgen de Guadalupe, Bob Marley, Miles Davis,

Woodstock, Javier Bátiz, los ilegales, el Sida, el incienso, los derechos humanos, México, Jalisco, Autlán, el popular sonido de lonchería llevado al rock por ti, los sesenta, los noventa, la lluvia, el parque y otras cosas —le respondí.

El ascensor llegó. Sonó el ruido habitual. Se abrió la puerta.

—Mañana. Hoy ya es muy tarde. Ya he contestado muchas preguntas. Estoy cansado. Búscame... aunque no sé, me voy temprano... A la vuelta hermano, broder, a la vuelta.

¿Merece culto Santana? alcancé a preguntar... Las puertas no hablan. Tal vez en unos años responderá mi hija.

LO ÚNICO QUE YO QUERÍA ERA
UNA RESPUESTA CIVILIZADA

a y con carlos chimal

20 de diciembre, 1980. Querido diario:

¿Que por qué lo maté?...

Es sencillo: estaba cumpliendo demasiados. 40. Quince más que yo. Quince años eran la distancia entre su vida y su muerte de edificio lujoso y mis mecánicos, sonrientes movimientos: uno, dos, tres, muerta la distancia, ¡paf!... muerto el aliento. No era posible que una gran burbuja que ha llegado tan alto flotando por todas partes, desafiando toda regla física; que ha caído con sus 40 años de peso, quiera subir de nuevo. Tiene que estallar. Es natural. La cosa no tiene vuelta de hoja: el hombre reventado, la burbuja muerta, el hombre estallando normalmente echando todo su aire a la posteridad para que yo lo respirara, para que yo sintiera su muerte sobresaturando mis pulmones; los transparentes efímeros muros cuarteándose; tronando escandalosamente en mis adentros sus últimas palabras "me han disparado", dirigidas sólo a mí, sólo a mí. ¿A quién le importan McCartney o Ringo o Harrison? ¿Para qué meterse con ellos si no tenían ni querían nada que ver con la verdad? Nunca los oí pidiendo a gritos quién los crucificara. No deseaban un héroe. Ahora existe. Y por partida doble: Lennon y yo. Yo y Lennon. Lo mismo. Burbujas copulando una detrás de otra, arriba, encima, adentro: una semana fornicando por la paz con Yoko, con John, conmigo, las sábanas guardándome entre sus pliegues, escondiéndome de las cámaras de televisión, de los ojos rasgados hipócritamente suspicaces de la gran amante japonesa...

¿Loco?... Mire lo único que quiero es un aparato de radio y los periódicos. No necesito que me cuiden. Quién me dañaría. He muerto ya dos veces y sigo vivo.

Aquí. Adentro. Todo será más divertido. Sus lamentaciones. Su rabia. Ya no podrán escucharlo sin pensar en mí. Qué gran diferencia hay entre todos esos ofendidos y mis cuatro balazos. Gracias a mí sigue viva la estatua viviente del gran John. Yo, el usurpador de su historia. Yo he acabado con los Beatles de una vez por todas. Fue una pequeña ayuda de los amigos, del único amigo. Lo amaba y él tenía que cuidarse. Hay mucha gente loca por ahí, allá, afuera, queriendo hacer daño. Mira que te lo dice un cumplido policía sin empleo por ahora, su último gran fan en vida. Yo le he demostrado que la realidad va más allá de cualquier ninguneo, de toda duda. Los tiempos difíciles se han ido. Los tiempos en que la tentación de regresar no tiene cabida ni asidero. ¿Para qué volver? ¿Para qué ser portavoz de los que aquí no tienen sino portavoces? Su obsesión de volver no tenía sentido. Aquí, la gran América, se vive y se muere héroe tan sólo una vez para ser recordado por siempre, para siempre, desde siempre. No más.

Regresar es irritante, insoportable...

Por eso lo hice y estoy muy triste. Ellos me obligaron. Nos obligaron. Había que escapar de este gran callejón sin salida, este salón en que no hay nadie a quién culpar del holocausto. Él dijo una vez en algún lado: "Lo único que yo quería era una respuesta civilizada". Yo lo leí. Compré el arma. Me acerqué. Acabé con su vida. Hacía algo de frío.

OTRO MÁS QUE MUERDE EL POLVO

¿Será mentira?

¿Se habrá ido realmente?

Los rayos solares caen a plomo sobre la mesa donde escribes y esperas. Tienes el sol en el paladar. Te lo tragas espesamente convertido en saliva. El ruido del afilador sale de tus oídos a la calle: los autos, la terraza. Todo lo ha descompuesto el progreso. Diez, quizás once personas en la acera frente a ti. Ríen. La policía detiene al supuesto infractor. Lo estaban esperando con lógica paciencia. La cerveza tomada y pedir otra que se sume a la creciente colección de cascos. Un extraño ajedrez de botellas descansa sobre la superficie metálica.

—Muéstreme sus documentos. La eme de muéstreme con un palo de más, el defecto congénito del policía, el labio leporino que le hace hablar en otro idioma. Las llantas de la patrulla revisadas por el compañero para matar el tiempo. Igual que *Starsky y Hutch*, policías infalibles de la tele: cada quien a lo suyo con suma precisión y simpatía y echándole un ojo a los neumáticos que nunca está de más.

—¿Sí? —pregunta él con la falsa amabilidad desenvainada—. ¿Cuál quiere? —continúa.

Cuelgas. Vergüenza oír tu voz sabiendo que otros la oyen además. Timidez antigua. Estás mirando al patrullero las llantas revisadas desde la caseta telefónica. Algo de acaramelado apresuramiento te hace considerar lo poco sincero que puede oírse un locutor. "Actitud sospechosa", dirían ellos. Has enfocado al otro. El supuesto infractor guarda sus documentos y al tiempo recibe el pequeño paquete. Ha pagado por él y es demasiado grande como para pasar inadvertido incluso para ti a estas alturas.

Ayer no sucedió nada. Hoy se fue: un planeta, una vuelta, un rigor aprendido, inevitable. Desde hoy, sábelo, será metódica su ausencia y ellos te han visto. Si vienen hacia acá será porque te han visto y no puedes negarlo. Te saben testigo de la transacción. El

130

supuesto infractor y su mercancía han desaparecido sin dejar rastro. Otra cerveza. Un peón más en el tablero. Te han visto, ¿nos has visto? te preguntan y con la misma voz quisieran ordenarte tu inmediata ceguera. Alguien falló en su vigilancia. Con otro cualquiera en otro tiempo nada hubiera sucedido. Sólo a ti y tu imán, diría ella: sólo a ti.

Te han visto y tú no se lo dirás a nadie. Se van a asegurar de que así sea. Te han visto como tú ya los has visto con cara de sospecha, con cara sospechosa. ¿Cómo iban a saber que tú estás triste? ¿Qué hoy, justo hoy, se fue?

"Sólo a ti"...

—Está borracho. Nadie se lo creería —interviene acaso *Joch*, el menos radical de la pareja.

Tu cuerpo se divide. Son dos los cuerpos y dos cuerpos de los policías los cuerpos que quieren detenerte a ti y a tus dos cuerpos. El cuerpo triste que se mete en la cerveza consumida, que se esconde en la espuma que desciende, en las olas que no existen. No es el mar, lo sabes, aunque te lo imaginas. Un regalo de la imaginación. Se ha ido. Tu cuerpo un cuerpo libre. Su cuerpo es un mar no imaginado. El mar... ¿Se habrá ido realmente?

Tu cuerpo, tu otro cuerpo, es el testigo, el delator posible, el cuerpo que te han visto y revisar las llantas seguramente irán a reprimir como santo mandato por andar de mirón inoportuno. Ahora tú eres el infractor real y ya te han visto. Sólo que tú no has mostrado más que una sonrisa lastimera mientras que aquél, el supuesto infractor que probó con la lengua si la cosa valía, ha sacado dinero para pagar cabalmente lo que vale cada gramo en el mercado. Eres el infractor y estás borracho. ¿Qué van a saber de la tristeza? ¿Qué saben del amor los policías? Tu cuerpo tu otro cuerpo los dos cuerpos están tristes, muy tristes. Es todo. No podrían entenderlo. No podrías explicarlo. Es un mar en reposo.

Dos horas, quizás tres. Cuatro niños molestos pegada su nariz al parabrisas. Aguardas dentro de la patrulla porque *Estarsqui* y *Joch* se están presentando a pasar lista. No existes. Mi comandante, le dice *Estarsqui* a *Joch* muy convincente, no debe enterarse de que existe, ai que se chingue un rato. Está demasiado pedo para pedir auxilio el catrincito, para intentar huir, para gritar, para hacer algo. Ahí detrás, a dos o tres cuadras de la reja metálica que divide la patrulla, de sus firmas y filas y respetos saludando cinco dedos al pecho, está la taquería en donde acostumbraban después de salir tarde de las fiestas comer cinco o seis taquitos al pastor que ella consumía con su invariable pascual anaranjado. Nunca pensaron, nunca se imaginaron. El lugar está enfrente de donde estás pasando con *Estarsqui* y con *Joch* y la labor cumplida, el turno que termina para dos policías que mojan tu recuerdo y lo hacen más pesado, más difícil de repartir en un cuerpo que ya sólo es un cuerpo que te han visto y revisar las llantas llevan igual que a un bulto en la parte trasera de un auto azul que cruza el periférico; un paquete de mayor tamaño pero mucho menos importante que esas bolsitas acomodadas casi con cariño en el suelo del carro.

Ya todos los caminos se confunden con la noche. Sólo a ti y también a tus ojos que se abren con lentitud, a tus oídos que empiezan a prestar atención a sus palabras, a toda tu cara que escurre algo más que el solo pascual anaranjado, sólo a ti citan justificaciones. El salario es muy bajo y has de ser comprensivo: hay que ayudarse. Inútil que a estas horas ofrezcas resistencia. Además hay presión desde arriba y entrarle con su cuerno con el jefe que a su vez ha de darle a otro gallón picudo y después de todo —sentencia revisar las llantas con diente de oro en la sonrisa casi amable— de nada te va a servir ya la carterita.

—La billetera —corrige *Estarsqui*—. La billetera, pareja.

De nada te va a servir al trajecito, de nada los zapatos, de nada la corbata. Quién sabe a quién querías impresionar. Ella se fue realmente sabiéndote de cabo a rabo luego de tantos años. "Sólo a ti." Siempre el mismo. Ella te abandonó. Nunca nada distinto en esta vida. Qué se podía cambiar tirado ahí, en la basura acumulada desde hace tanto tiempo. Poca gente se aventura a ese lugar y de nada te sirve la moneda requerida 30 minutos antes de que ella partiera al aeropuerto. Tu timidez vencida en dos intentos y el locutor amable y complaciente y falso inundando el aire radiofónico con el último éxito de Queen que tanto le gustaba. Siempre se habían reído divertidos imaginando la cara de la novia cuyo novio pedía la favorita. Otro mundo, dijo ella, totalmente otro mundo. Contigo no hay sorpresas. Lo que viene después, al no ser nada, está definitivamente calculado. Para qué la moneda de 20 en el bolsillo, para qué el pantalón tan bien cortado, para qué tantas cosas si ya es tarde, si ella no está, si ella se ha ido.

Ahora sí: definitivamente solo.

Dentro de la patrulla, cancelada la monótona voz de la comandancia al terminar el turno, te han visto y revisar las llantas bajan a toda velocidad por la calzada. Las luces de la torre girando enloquecidas. La sirena puesta. En la radio portátil otro más que muerde el polvo que tan bien los pone y uno de los billetes que el supuesto infractor ha dado a cambio magistralmente dirigido vuelto rollo hacia la credencial, tu credencial, algo que alguna vez sirvió y tal vez servirá para identificarte. Una, dos, cuatro líneas sacadas de un paquete vuelto a cerrar con femenina delicadeza y ahí van *Estarsqui* y *Joch* de nueva cuenta. Pasan en convertible frente a ti y a tu mesa oyendo ésa en inglés que está de moda, que les gusta tanto como a ella y a ti y a tus amigos; que los hace fijarse en los dos pisos de cascos, tu tristeza, tus ganas de ya no imaginar ahora que estás a punto de caer dormido y organizar una lluvia de vidrios rotos y de gritos e insultos; ahora que esos dos uniformados que te están montando en la patrulla vienen con el único fin de impedir que la veas porque, estás seguro, ella, ya casi a punto de llegar, al escuchar tu mensaje por la radio del taxi, se arrepintió. No ha querido irse. No ha querido dejarte para siempre. Seguro que está a dos pasos de la voz del locutor que anuncia el final de "Otro más que muerde el polvo", uno de los más grandes éxitos de Queen, el grupo inglés de rock que la prendía. Seguro que está a unos segundos del número telefónico para que llames, para que alguien como tú dedique una canción para su amada. ¿Sí? ¿Cuál quiere?

AUTOR BUSCA EPÍGRAFE

Sólo dame material
y yo te lo organizo.

Frank Zappa

Autor busca epígrafe

—¿Y a ti te dicen Zappa por Frank Zappa? —preguntó el juez del concurso de rock a la cantante punk.

—No. A mí me dicen Sapa porque parezco sapo.

Apareció en Badalona, en la sección de avisos de uno de los órganos afiliados a los esfuerzos del grupo A lo que venga lo que Salga —del cual ya he hablado en otros lugares además de éste—, la petición: "Autor busca epígrafe". No había más datos.

Al día siguiente las mismas 18 letras refrendaban el pedido: "Autor busca epígrafe". Desconozco qué tantos fueron enviados, qué respuesta hubo de los múltiples lectores de esa zona catalana tan potencialmente reactiva siempre, pero sé que al menos uno le dio al clavo, y ése fui yo que, por casualidad, estaba ahí.

Desde entonces el autor y yo comenzamos a mantener una relación cordial y epistolar que, a pesar del océano —ya he indicado que yo estaba por ahí casualmente— ha continuado y se ha enriquecido. Debo decir que yo mismo formo parte ahora de ese esfuerzo colectivo de A lo que venga lo que Salga —y que no soy el único en esta parte del mundo— y debo también indicar que el autor y yo hemos hecho un libro a dos manos con el título —él lo propuso basándose en un poema mesoamericano— Antes que definir, improvisar. El epígrafe empleado es el que yo mandé aquella mañana: me siento en el bar, pido un cortado —que no es otra cosa que un café con leche—, en lo que lo traen escribo en una tarjeta, cierro el sobre donde la he metido, humedezco el sello con la lengua, me levanto y alzo la tapa del buzón de un amarillo escandaloso, suelto: mi futuro...

Sólo dame material
y yo te lo organizo

Frank Zappa

A esta hora —cumpliría 53, tres días antes de la Nochebuena de 1993— ¿qué escribiría Frank Zappa de sí mismo?

Tengo un cáncer que escuece y muchos proyectos. No tocaré más esta guitarra, odio los callos, las entrevistas me siguen poniendo mal, ni yo mismo en mi ironía y perversidad proverbial, imaginaría tantas maneras de acceder al lugar común, tal cantidad de sandeces; he de estrenar en 1994 esa ópera en Viena y odio todavía al hijo de puta que me echó escenario abajo hace ya tantos años; en pocas palabras: tengo muchas razones para divertirme.

"Quiero tomar tu mano"
pieza de los Beatles,
estaba siendo tocada
como encore en ese
segundo show inglés de
Frank Zappa en 1971,
cuando subió al escenario
y acto seguido lo echó
violentamente al foso:

A) John Lennon ( )
B) Mark Chapman ( )
C) Trevor Howell ( )
Use una X...

El ensayo de nuestro personaje bien podría llamarse así —aunque podría ser peor—: *Aproximaciones a la música de Carla Bley y de Frank Zappa, dos puntas de lanza en la música contemporánea, y*

135

el fin de la sujeción espacio-temporal para la modificación de la
vida cotidiana mediante el arte de acomodar sonidos bien.

El libro en que se hace mención del ensayo de marras fue publicado en 1988: el ensayo fue impreso, finalmente, por la Sociedad Formal de Crítica e Historia de la Música Contemporánea en una separata del anuario de 1990. Los 3 000 ejemplares, ante la escisión que tanto revuelo causó en la prensa especializada, continúan hasta la fecha embodegados (1994). De lo que no fue pasado en limpio —mencionaré sólo, tangencialmente y sin dramatizar, el hecho de que tuve que sumergirme en botes de basura— rescato lo siguiente:

> Es una historia simple —contesta Frank—. Leí en un artículo de la revista *Look*, de principio de los cincuenta, lo maravilloso que era como vendedor un tal Sam Goody. Podía vender cualquier disco, hasta el álbum llamado *Ionisation* en el que había un montón de tambores golpeándose. Describían el álbum en términos muy negativos. Cuando leí eso pensé que sonaba exactamente como el álbum que yo deseaba oír. Yo había estado tocando tambores desde los doce años. Así que fui y conseguí, luego de un par de meses de búsqueda, el álbum. Me lo llevé a casa y lo amé apenas lo escuché.

¿Cuántas cosas estúpidas se han vertido sobre la música de Frank Zappa y cuántas sobre su persona? Comencemos hablando de Edgar Varése. Comencemos hablando de la relación de Zappa y la prensa especializada:

Julio 12, 1957

Querido Señor Zappa:

Siento no poder satisfacer su petición. Parto rumbo a Europa la próxima semana y estaré fuera hasta la primavera. Espero verle a mi regreso. Con mis mejores deseos.

Sinceramente

Edgar Varése

136

—"¿Qué haces para ganarte la vida, papá?"
—"Si alguno de mis hijos me preguntara esto la respuesta sería:

lo que yo hago es composición.

Sólo que resulta que uso otro material que las notas para mis piezas. La composición es un proceso organizativo muy parecido a la arquitectura. En tanto que puedas conceptualizar lo que es el proceso organizativo puedes ser un compositor en el medio que quieras. Puedes ser un compositor de video, de películas, de coreografías, un compositor de la ingeniería social... lo que sea.

SÓLO DAME MATERIAL
Y YO TE LO ORGANIZO.
Eso es lo que hago"

No falta quien, para hablar de Frank nacido en Maryland, comience a hablar de "Frank nacido en California" y de Dweezil y de Moon Unit, los rockeros hijos del padre que se traslada con sus propios progenitores a California (el origen es siciliano) el año en que este siglo entra a la otra mitad. (Hace años en este programa de radio dije que Frank Zappa se llamaba en verdad Francisco Zapata y que su origen era colimense. Una década después me buscó esta muchacha porque había apostado con su compañero: ¿Verdad que sí es de por Manzanillo Zappa?... La apuesta era fuerte. No me atreví a negarlo. Zappa sabría entenderlo.)

No falta quien, para hablar de Frank, graduado en la prepa de Antelope Valley en 1958, comience a hablar de Los Apagones (The Blackouts), el conjunto con el que Zappa comienza a practicar en 1956 —negros, mexicanos, blancos.

No falta quien, para hablar de Frank, fundador de Las madres (ya sabemos que lo de "la invención" vino después por los tapujos de alguien), hable de Ray Collins en la voz, de Roy Estrada al bajo, del indio cherokee Jimmy Carl Black a la batería y del saxofonista David Coronado yéndose porque lo que a él le gusta es lo seguro y quién se arriesga a tocar material original en estos días (ah, los sesenta).

Interrumpimos momentáneamente tu lectura para meterte en ésta:

Ocho de diciembre (día de san John) de 1993
Periódico *La Jornada*, México, D.F.
Artículo: "¿Por qué no se murió otro?"

Hay muchos para escoger. Basta encender la televisión, asistir a cualquier casa de gobierno de cualquier Estado, levantar los ojos en el confesionario, atender a quien está debajo del semáforo manipulándolo, invirtiendo en la bolsa, moviendo las pelotas para ver cuál te toca en el servicio militar, tachando tu examen, calificando tu trabajo, revisando si checaste bien la tarjeta, dando una conferencia sobre cómo lograr la felicidad en diez lecciones...

¿Por qué —preguntamos— no murió cualquiera de estos hijos de la chingada que de nada sirven con su estorbosa presencia al mundo?

...Pero no. Se tuvo que morir Frank Zappa y entonces uno pone "I'm the slime" como debe de ser, a todo volumen, y transcribe lo que escrito está por la imbécil necedad de recordar. Como si un homenaje le hiciera dar la vuelta a este hombre envejecido por el cáncer en esa última foto.

Ahora sí, puedes continuar en tu lectura (¿No tienes ganas de escuchar *Joe's Garage*?)

"Frank Zappa en 1984 saca cuatro álbumes. Uno de ellos es *Francesco Zappa* (1763-1788) con música en su primera grabación digital en cerca de 200 años. Interpreta el *Barking Pumpkin Digital Gratification Consort*. (El grupo de gratificación digital de la calabaza labradora.) Otro álbum más: *The perfect Stranger*. (Un forastero en verdad, un perfecto desconocido), donde Pierre Boulez toma la música de Zappa y la conduce (la dirige)..."

Y a propósito de la música culta, hace poco me contaron una anécdota: Zappa escribe una obra encargada por un grupo musical "culto". Éste no sabe cómo lidiar ni siquiera con la partitura. Zappa la graba para que ellos la aprendan. El grupo hace mejor play back (gestos que pretenden sincronizarse a la música ajena tocada atrás para engañar al público que deja que le hagan eso) con la grabación en pleno concierto. Los refinados críticos asistentes al festival donde tal audición se lleva a efecto se encuentran gratamente sorprendidos. Zappa desenmascara el jocoso numerito días después al escribirlo todo en un periódico:

"Por eso prefiero el rock", dice...

Quién sabe si la anécdota es verdad, pero bien pudo suceder. Zappa es una colección de anécdotas-probables. Varios coleccionistas del mundo que nada tienen que hacer con sus vidas se han dedicado a recogerlas, a echar de su ronco pecho, a escribirlas y a publicarlas. De ahí han salido libros con la "toda la verdad" acerca de Frank Zappa. Zappa, ante eso, prefirió dictar a un escrito lo que era su visión de la vida vivida hasta las 6 horas con 39 minutos del 23 de agosto de 1988: *The Real Frank Zappa Book*:

¿Libro?, ¿qué libro? —escribe en su introducción—: Yo no quiero escribir un libro pero de todas formas lo voy a hacer porque Peter Occhiogrosso me va a ayudar. Él es un escritor. Le gustan los libros: incluso los lee. Yo creo que es bueno que los libros todavía existan, pero me dan sueño.

La manera en que vamos a hacer esto es así: Peter vendrá a California unas cuantas semanas a grabar respuestas a fascinantes preguntas. Las cintas serán transcritas. Peter las editará, las pondrá en blandos discos y me las enviará. Yo editaré de nueva cuenta y el resultado será enviado a Ann Patty de Poseidon Press para que ella haga que resulte UN LIBRO.

Una de las razones para hacer esto es la proliferación de tontos libros en distintos idiomas que han hecho creer que son sobre mí. Pienso que debe haber al menos uno en alguna parte que contenga material verdadero. Queden por favor advertidos que esto no pretende ser una historia oral completa. Se presenta a su consumo como entretenimiento, nada más.

1) Una autobiografía es normalmente escrita por alguien que piensa que su vida es realmente sorprendente. Yo no creo que mi vida sea sorprendente de ningún modo, sin embargo, la oportunidad de poner cosas impresas sobre asuntos tangenciales, es sugerente.

2) Documentos y/o transcripciones serán anunciadas como tales.

3) Los epígrafes al principio de cada capítulo (los editores aman esas cosas) fueron buscados e insertos por Peter. Menciono esto

porque no quisiera que nadie fuera a pensar que me senté por ahí todo el día para leer a Flaubert, Twitchell o Shakespeare.

4) Si tu nombre está en el libro y no querías que estuviera ahí (o no te gustan mis comentarios), mis disculpas.

5) Si tu nombre no está en el libro y te sientes "afuera", mis disculpas.

¿Quién inventó en 1965 el álbum doble y el álbum conceptual?

A) Dámaso Pérez Prado ( )
B) Los Beatles ( )
C) Horowitz ( )
D) Frank Zappa ( )
Use una X

—¿Cuál fue la primera guitarra que tuviste, Frank?

—Mi hermano la compró por un dólar cincuenta en una subasta y era de tapa arqueada, con agujeros en f, jodidamente horrible y con las cuerdas como de un centímetro por encima del diapasón. Sólo era una guitarra acústica pero se acercaba a ese sonido delgado de Johnny Guitar Watson que tanto me gusta, sobre todo si se tocaba junto al puente.

¿Qué músico con las nalgas bien puestas sobre el excusado dio, en forma de poster blanco-negro, la vuelta al mundo?

A) Gustav Mahler ( )
B) Pepe Guízar ( )
C) Frank Zappa ( )
Use una X

Bibliografía para la mitad del camino

Zappa, Frank (con Peter Occhiogrosso), *The Real Frank Zappa Book*, Nueva York, Poseidon Press, 1989.

Mead, David, "Frank Zappa, madre impía" (entrevista con Frank Zappa) en *Guitar Player*, edición en castellano, Barcelona, septiembre de 1993.

Colectivo A lo que venga lo que salga, *Antes que definir, improvisar*, Badalona, Ed. del Gregario, 1993.

Proyecto-Objeto es un término que he usado para describir el concepto totalizador de mi trabajo en varios medios. Cada proyecto en cualquier marco o entrevista conectada por él, es parte de un objeto mayor para el cual no hay un nombre técnico. Piensa en el material conector en el proyecto-objeto de esta manera: Un novelista inventa un personaje. Si el personaje es bueno, toma una vida propia. ¿Por qué ha de asistir sólo a una fiesta? Puede saltar en cualquier momento de nuevo en una futura novela.

—¿Muchos guitarristas han empezado tocando la batería, como Eddie Van Halen?
—Bueno, yo no era muy buen baterista. Mi principal problema era que no podía mantener una correcta coordinación de manos y pies. Podía tocar muchas cosas en la caja, los tomos y los platos, pero no podía mantener el ritmo con el bombo. Es por eso que no duré mucho como baterista —nadie podía bailarlo—. Pero sí que tenía una buena coordinación de ambas manos para la guitarra.

Yo no soy un virtuoso en la guitarra.
Un virtuoso puede tocarlo todo y yo no.
Yo sólo toco lo que sé.

Frank Zappa

Y entonces lo conocí personalmente. Otro viaje, ustedes saben. Crucé el océano. Y pensar que al principio no sabía que estuviera viviendo ahí, que perteneciera, que hubiera tanto en común:
—Supe que tenías que ser tú desde que abrí el sobre y vi la tarjeta —me dijo en catalán.
—Si yo no fuera quien soy —le contesté en castellano—, sería Pedro Infante o Frank Zappa. Pero uno no es quien.
En uno de los muros colgaba el letrero:

Dios es una nota. El mundo es una nota.
Somos una nota.

"Acostumbraba amar, plasmar pequeños puntos negros en el papel pautado. Me sentaba ahí hasta 16 horas, con esa diminuta botella de tinta de la India, y a dibujar barras y puntos; nada me levantaría por semanas o meses. Ahí estaba yo, escribiendo música. Ahora no escribo música más. El incentivo para continuar ha sido bloqueado. Tuve que lidiar con orquestas sinfónicas"...

La Orquesta Sinfónica Nacional dirigida por Sergio Cárdenas, no dio el ancho para tocar con:

A) Juan Gabriel ( )
B) Aldo Ciccolini ( )
C) Frank Zappa ( )
Use una X

¿Quién es Frank Zappa???
A) El tipo que con su muerte rompió en pedazos a sus exégetas (2 de diciembre de 1993) ocasionando que todo lo escrito sobre él fueran sólo fragmentos.
B) El mayor genio musical que desde el rock se ha desprendido.
C) El autor de "Roxy and Elsewhere", "Hot Rats", "Uncle Meat", "Burnt Weewnie Sandwich".
D) El amigo y productor de Don Van Vliet, esto es, *Captain Beefheart.*
E) El creador de Las Madres en un tiempo y un territorio hostil.
F) El que llegó en 1966 a Nueva York cuando The Fugs hacían estragos y Lou Reed paseaba con Andy Warhol antes de que el plátano estuviera en la tapa de aquel disco de Velvet...
G) El filoso crítico del *American Way of Life* desde el mismo *American Way of Life.*
H) El autor de los disco*s The Best Band You Never Heard in Your Life* y *Jazz from Hell* y *Studio Tan* y *Sleep Dirt* y *Lumpy Gravy* y *Cruisin' with Reuben and the Jets.*
I) El autor de You *Can't do that on Stage Anymore, 200 Motels, The Lost Episodes* y *Sheik Yerbouti.*
J) El·tema de éste y muchos textos.
K) El que puede llenar éstas y todas las demás letras del abecedario y seguirse de largo a pesar de que siempre declaró que lo suyo no eran precisamente las letras.

142

L) El que hace que la censura no se fije en ZZ Top que está inmediatamente después en el anaquel.

M) El autor del epígrafe y de "Who are the Brain Police?" en *Freak Out.*

N) El único capaz de acomodar todo con orden, técnica, creatividad y originalidad.

O) El que podría venderlo.

P) El productor del disco *King Kong* del violinista francés Jean Luc Ponty y el homenajeado en noviembre de 1991 en el Teatro Ritz por cumplir medio siglo.

Q) El definidor del periodismo rockero: "Gente que no puede escribir haciéndole entrevistas a gente que no puede pensar para preparar artículos para gente que no puede leer".

R) El autor de *Chunga's Revenge, Just Another Band from L.A.*, *Overnite Sensation* y un plan para que, caído el muro de Berlín, hubiera manera de hacer negocio conveniente para todos.

S) El que trabaja en la grabación de *Dance Me This* mientras sale el compacto de *Zappa's Universe* donde otros tocan su música comenzando con Elvis apenas dejó el edificio, para recordarlo en vida.

T) El fulano arrestado por el detective Willis y encerrado en la cárcel de San Bernardino muchos años antes de que Vaclav Havel, presidente checo, lo nombrara ministro al tiempo en que se hacía campaña para lanzarlo como candidato a la presidencia estadunidense.

U) El productor de discos de Alice Cooper y de L. Shankar.

V) El autor de *Mothermania*, *Apostrophe*, *Bongo Fury*, *Live in N.Y.*

W) El que a todos pide, para que no los manipulen, votar.

X) El guitarrista influido por el blues, que se casó a los 20 por vez primera.

Y) El irónico y jodón músico luchador contra la censura característica de la pasguata nación donde vivió, murió.

Z) Zappa, Frank Zappa, la Z de Zappa.

PEQUEÑO PERO EMOTIVO DISCURSO
CONTRA LA NUCLEOELÉCTRICA

Aquella tarde tocarían varios grupos, ahí, en la calle, la zona tomada justiciera y lógicamente por los vecinos reunidos desde y por los terremotos de septiembre de 1985 y organizados en la Unión de Vecinos y Damnificados de la vieja colonia Roma de la ciudad de México. Era la primera fase de un concurso de música donde campeaban los gladiadores de punk y el rock.

El primero en subir a escena con su grupo fue un cantante apodado Chuleta (o La Marrana indistintamente). Apenas iniciada la música se abrió paso el slam. La intensidad subía a cada carga. El público emocionado se acercó al escenario. Chuleta desde arriba se dio cuenta del acarnalamiento y quiso repetir lo que el éxtasis le había llevado a hacer en muchas ocasiones: volar. Escaló hasta la cima de los amplificadores y tomando algo de impulso se dejó caer con todos los desordenados y contundentes elementos que hacían de su mote algo preciso, justo. El público lo advirtió y, en vez de alzar brazos y compactarse más para recibir al robusto paladín del decibel, al efímero Ícaro peso completo, abrió un limpio agujero de asfalto en la multitud. Chuleta (o La Marrana indistintamente), todavía con el aparato en la mano y sin perder el ritmo que pertinaz marcaba la guitarra se levantó del suelo dolorido y gritando: "¡Hijos de su pinche madre! ¡Hijos de su pinche madre!" como si fuera parte de la letra, lo que sin duda le ganó el cariño del respetable pero no alcanzó realmente para influir a su favor en el veredicto del jurado.

Al terminar su actuación vino la Sapa a sucederlo en el micrófono acompañada de baterista, guitarrista y bajista:

—La que sigue —dijo para sorpresa de los miembros calificadores— es una canción ecologista.

Empezó la batería. Le siguió la guitarra sin cambiar compás ni tonalidad durante un poco menos de tres minutos; el bajo eléctrico hacía lo propio machaconamente. Lo único que variaba al subir y

subir era el volumen y con ello la emoción de la efervescente audiencia. La Sapa estaba de espaldas con la cabeza casi escondida
entre las piernas regordetas. Súbitamente se volvió, dio con un
salto un grito y comenzó en el acto, rítmica, desgarrada, a develar
la corta, directa, maciza y memorizable letra de la ecologista rola:

"¡A la verga Laguna Verde!... ¡A la verga Laguna Verde!... ¡A
la verga Laguna Verde!"...

Los que no estaban bailando, coreaban.

ROCANROL DEL CIELO Y EL INFIERNO

Ruge Rintrah y sacude sus fuegos en el aire de agobio; hambrientas nubes vagan sobre el abismo: dos masas se entrelazan filtrándose en una extraña comunión.

De haber sido cierto el matrimonio del cielo y el infierno se hubiera consumado aquella noche de 1982, a miles de kilómetros de las oscuras aguas del río Támesis y siglos después del nacimiento del poeta William Blake, en el viejo terruño de Iztacalco.

Dos masas enormes. Dos masas informes: casi 10 000 seres humanos diluyéndose entre decibeles en pleno Palacio de los Deportes al oriente de la ciudad de México:

—¡Vamos a olvidarnos de todo! —gritaba el improvisado maestro de ceremonias—. ¡Vamos a vivir el roooock!...

Sí. Se trataba de un concierto. Se trataba de sudar, roer, bailar, morder, volar y oír un concierto de rock en México.

    LOS NUEVOS VALORES DEL ROCK MEXICANO
    EN CURSO. LOS VIEJOS MAESTROS
    DEL ROCK MEXICANO DAN LA ALTERNATIVA...
    EL ROCK NACIONAL EN TODA SU CRUDEZA.

Ésa era la idea, o al menos, eso quisieron hacer creer los organizadores en la publicidad radiofónica: once grupos rockeros en concurso y unas cuantas mentiras inocentes para atraer al personal sin que los lics se peinen y nos la hagan de pedo:

    JAZZ BLUES SESSION
    EL GRUPO MEXICANO SACBÉ DESDE
    LOS ÁNGELES CALIFORNIA DIRECTAMENTE
    CAÍDO COMO TALES

Jazz-Blues-Session. Pero, ¡ojo! ...la palabra rock es peor que el herpes: *Jazz-Blues Fussion en el Palace.* Jazz y blues con el Three

146

Souls in my Mind, con Javier Bátiz y Fernando Toussaint. Así, pareciera, no hay tos. Tequila, la histórica banda juntando sus cenizas para de ellas resugir. Tequila, la histórica banda que prefirió no hacerle al ave fénix en cuanto el desmadre comenzó a dejarse oler.

Hagamos memoria:
Comencemos a las siete de la tarde. Oscurece.

"Psst, psst, aliviana una lanita carnal, ya no hay boletos. Ya nomás se trata de brillarle un ciego al de la puerta y te da chance."

Las taquillas anuncian el precio de la entrada: 350 devaluados pero orgullosamente inalcanzables de los de Morelos. El Shine viajó más de diez kilómetros hacia oriente confiando en encontrar un alma rocanrolera y caritativa que le ayudara a abrir las puertas del paraíso. Estuvo taloneando toda la mañana sin juntar lo suficiente y ahora, casi con un pie en la chalupa de Caronte, la cuestión era sólo la de untarle la mano a San Pedro para hacerle soltar la llave. Con ese procedimiento cualquiera puede esquiar en este país. El Shine lo sabe.

A las 20:00, las 2 000 en las películas de guerra del gabacho, quién sabe si el Shine o cualquiera de los rockeros amontonados frente al único canal de acceso al palacio, acaba de gritar:

"¡Sí, somos rockeros, no millonarios!"

La solidaria multitud aplaude. El discurso de papá-policía-botas-de-cuero-para-andar-en-moto-de-las-grandes es momentáneamente interrumpido por la explosiva frase. No obstante, su altavoz de profesor-de-gimnasia-que-monta-tablas-y-bailables-para-fechas-civiles-memorables, le devuelve el control. Va la tecnología en auxilio del poder: "Jóvenes, jóvenes, si traen su boleto segurito que entran. Nomás háganse la cola en orden".

La respuesta de los cuerpos es inmediata:
Todos y cada uno autonombrándose cabeza de cola, capicúa, signo de buena suerte. A Medusa le crecen como tumores varios rabos. Papá-policía se encarga de dictaminar cuál es la buena valiéndose de sus adláteres. Ahora estamos en un embotellamiento de tráfico. La ley nos convierte en rockeros garbanzos bamboleantes

en una cada vez más reducida olla exprés. Los policías han tomado los semáforos y todos estallamos de repente. Sin meternos nada, sin que haya cómo se nos abra la glándula pineal, nos hemos elevado. Unos cuantos centímetros nos separan del suelo justo al penetrar al sitio de la acción. Podríamos afirmar que levitamos igual que Santa Teresa en pleno éxtasis de no ser porque azules arcángeles garrotes en mano tunden a los menos avispados aunque éstos traigan en la mano el boleto legitimador. A todos resulta claro que en un campo minado las razones no importan, sólo la agilidad, la capacidad personal para driblar las embestidas. Somos átomos en fisión huyendo de la ley, mole pringando el blanquísimo mantel.

Metros adentro, sobre un escenario que los palafitos amazónicos no envidiarían, un hato de concursantes de mexicano concurso de rock hace la lucha por escapársele al anonimato unos minutos. Valadez, Intervalo, Ninot, Rockdrigo, a canción cada uno en esa gigantesca sinfonola. El Shine y todos los que estamos acá, de este lado, nos preguntamos cómo distinguirlos, qué será lo que tocan. ¿De qué magia más negra que azabache se valdrán los jueces para hallar al mejor? ¿Adónde va el sonido si en cualquier parte de este olímpico palacio se cuela, se esconde, rebota en un infernal juego de ping-pong acústico?

Los organizadores lo prometieron: "Nada de toneladas de equipo", dijeron. "Nada de apantallar a nadie con amplis exorbitantes y consolas imponentes", volvieron a decir. "Nomás con ecualizar correctamente", concluyeron. Y es que "ecualizar" era la palabra mágica, el ábrete sésamo, el abracadabra pronunciada por ellos en forma de conjuro aquella noche que concedieron una entrevista radiofónica. Esa misma palabra fue empleada cuando noches después, en un restaurante, pretendieron, sin fracasar en sus intentos, emborrachar a la prensa especializada: ecualizar... Los automovilistas del viaducto, ya casi llegando a Morazán, lo agradecen. Después de todo es en el carril del centro donde este concierto se escucha con más fidelidad. Aquí, adentro, en alquímica ceremonia, el cobre que orgullosamente muestra el techo del palacio, devuelve los decibeles vueltos chicle. Sólo en el escenario y en la administración se alcanzaría a saber que eso que está sonando es una guitarra eléctrica. En el resto del palacio el sonido es un bagre resbaloso que tunde nuestras orejas a coletazos antes de echarse al agua nuevamente.

148

Pero estos son pelillos de estropajo en un gran caldo de oso; peluches en el mink. La magia del rock —tradúzcase necesidad de darle al cuerpo lo que pide, sacar lo que las represiones cotidianas nos embuten— puede hacernos creer que escuchamos, que nuestras trompas de Eustaquio son boquitas de Pierrot. La magia del rock puede hacernos bailar, captar lo que Rintrah suspira llenándonos de vaho las orejas y empañando la solitaria arracada que pende del lóbulo del Shine. La música es nata volante que tornamos, mediante pases mágicos, alfombra de sultán para levantar el vuelo. Somos todos genios árabes fuera de la botella planeando en un doble concierto. Aunque dejen de tocar los de allá arriba, puede seguirse oyendo. Es el palacio el que no le baja al rever. Esto es el rock fantasma. El rock y su doble. Un miembro mutilado que se añade de súbito a los rocanroleros. Es el flujo y el reflujo de las mareas sonoras. Se sopla, se aspira, se sopla, se aspira. El Palacio de los Deportes es una mínima bolsa de plástico en las manos del Shine. El activo que entra... que sale...

Al estrado suben Iconoclasta, Om, Antígona, Puzzles, Ego y Alfil. Puzzles —pronúnciese igual que pozoles— resulta el grupo triunfador. Punk nacional: Peter Shit en la batería, Slim Sick al bajo, Joe Junk a la guitarra y Rábano en la voz. Punk nacional: ponk-me-la-mano-aquí: chamarras de cuero negro y pelo cepillo a brincos con eyaculaciones vocales y precoces entusiasmando a la banda que suda con y frente a ellas. Cuando Rábano levanta su encuerada extremidad superior derecha, la sostiene alzada un buen rato y comienza a hacerla girar como una enorme y centrífuga mentada de madre colectiva al respetable, la gente grita eufórica. Éste sería un caso más que Ponk-Froid. Sesenta minutos después Joe Junk habla sobre la falta de organización en este concurso: la falta —dice él sintetizando— de profesionalismo. Rábano esboza la posibilidad de participar en un concurso más el próximo año y Joe Junk con Peter Shit externan las razones por las cuales creen haber sido merecedores del primer lugar:

"La cosa es prender al personal. Tener los güevos grandes para parárteles enfrente y, sobre todo, tirarles buena onda".

Unos cuantos años de tocar sus propias rolas en algunos sitios del Estado de México les han dado la experiencia para encontrarse con la neta del rock nacional: TENERLOS GRANDES Y TIRAR BUENA ONDA.

Con los 50 000 pesos del primer premio, si es que algún día los tienen en sus manos, quieren salir de Ciudad Satélite para difundir su música en todo tipo de conciertos "aunque como en éste, no haya vigilancia", anota Peter Shit sin tomar en cuenta a todos esos guaruras privados que blanden chacos y bastones, o ya de plano, instalados en el tercermundismo, simples palos-clavo-en-la-punta tipo la negra Eufrosina, mamá de *Memín Pinguín* el de los cuentos, a la menor provocación y con la más simple excusa.

"Sí. Seguiremos —afirma Shit—. Aunque siga también la informalidad. Aunque haya malas ondas."

Afuera de los improvisados camerinos donde se ha realizado la entrevista, donde ya entran los hombres de las cámaras de televisión para echar a todos los mirones, los jueces satisfechos preparan su partida. Ya han dado su fallo, pueden pues volver a sus casas a hacer lo que les venga en gana. No tienen por qué quedarse. Ninguno de ellos (dos directores de cámaras de tele, dos miembros de las revistas especializadas *Acústica* y *Conecte*, un productor de rock para TV y un productor de la XEW, la voz de México en América latina) pretende permanecer en el palacio. Han dado su fallo. Han escogido al grupo que tiene los güevos grandes y tira buena onda: Puzzles.

El suelo es un comal ardiente y tramposo que quiere aprisionar sus pies, pero ella no lo va a permitir. Se lanza al aire, mueve las piernas, cambia de posición. Sus tenis azules sorprenden al planeta nuevamente nada más tocarlo. El cemento está atónito. Allá arriba, unos cuantos segundos, unas décimas de segundo más hurtadas a la ley de gravedad, la nueva compañera de danza del Shine torna hélices sus piernas. Muchos kilogramos de manzanas requeriría Newton en este instante para convencerse. Los ocho policías uniformados que antes estaban junto al escenario observando cómo bailaba el Shine como queriéndoles mostrar los pasos, de la misma manera que los especializados integrantes del rockero jurado, también han optado por el desafane: rocanrolero mutis. Después de todo a la oportunidad la peinan a la brush y, ultimadamente, con haberse surtido a unos cuantos de la entrada ya habían cumplido.

El concurso termina. Como puente entre los jóvenes valores y las viejas glorias viene un poco de jazz-rock. Ella también aprovecha el momento para irse con otro personal. El Shine apenas levanta los ojos. En el palacio nada permanece.

Al tiempo en que el baterista Toussaint y grupo —anunciados siempre como el angelical *Sacbé* aunque no lo fueran— terminan su intervención, una de las masas de Rintrah se escinde y ruge por su cuenta. El león de la Metro se le ha escapado a San Daniel. Es una bíblica pelea de pandillas al centro del palacio. La gente se avienta, se sacude, la nata no deja de volar. Por un largo momento el ficticio matrimonio cruza por durísima crisis. Los guaruras privados con la plena conciencia de que ésta es su parte solista, atizan a todo aquel que se acerca al escenario. El palafito tiembla. Un amplificador viaja unos cuantos metros hacia abajo para consuelo de Newton. El improvisado maestro de ceremonias vuelve por sus fueros y tomando el micrófono tira línea:

—Vamos a sacar a los agitadores. Son sólo diez. ¡Nosotros somos 10 000!...

La famélica diatriba no impacta a nadie. Los rijosos salen, entran, corretean, se madrean con toda confianza. Son un río ingobernable del que todos huyen como si fuera peste de medieval origen.

—No es nada —afirman los organizadores.

El Shine se logra refugiar a un costado del escenario. Palo-clavo-en-la-punta no lo ha visto. Toussaint y su grupo, que siguieron tocando como en aquellas cantinas de película donde al primer trancazo salen las bailarinas de cancán han llegado al postrer acorde. El público, un poco distraído, no le pide más al baterista. Es el turno del Tri, el Tripas. La banda en pleno se da cuenta. Los desmadrosos se largan con la violenta fiesta hacia otra parte. Vuelve la normalidad. Alejandro Lora, bajista, compositor y cantante del Three Souls in my Mind escupe al piso por enésima ocasión. Una hora después explicará el secreto para que en sus conciertos no haya tos, y si hay tos, no sea tanta como para despertar al vigilante: "Hay que darles música. Arrastrar a la banda y hacer que saque todo lo que tiene adentro cantando y bailando, sin madrearse. Nada más".

Las rockeras tablas de Moisés-ya-salió-a-bailar-con-el-guarache comienzan a escribirse: Tener los güevos grandes. Tirarles buena onda. Parárteles enfrente. Darles música. Arrastrar a la banda. Nada más.

Shine sabe todas las del Tri (Oye cantinero en la terminal del ADO con la familia Echeverría dándose un rol renuncio) y las canta sin dejar de danzar. Lora bien podría cobrar sin trabajar si se callara: toda la gente en el palacio canta por él.

Con Javier Bátiz y su guitarra bluesera, con Baby Bátiz, la hermana de Javier Bátiz y su guitarra bluesera, cantando el "Ball and Chain" igual que Janes Joplin, igual que cuando cantaba igual que Janis Joplin hace quince años, la banda empieza a pirar. Son más de las 2 200. Ya es tarde. La magia se ha roto. Rintrah está cansado. El divorcio se antoja ineludible.

Según un policía que cuida la oficina de los dineros donde todo es tranquilidad y vigilancia, mucha vigilancia, no ha habido detenidos esta noche.

—Quién se va a poner a detenerlos —se pregunta—. Apenas y hubo unos cuantos heridos a la hora del portazo. Nada más.

Rintrah ha dejado de rugir temporalmente en el aire de agobio del palacio en algo que para los organizadores bien merece calificarse como "un muy buen espectáculo".

—El único fallo —ha dicho un hombre de apellido Castelazo que funge como cabeza aparente de todo el numerito—, el único fallo es que la gente no nos respondió como queríamos. Como que se ha vuelto más violenta —comenta con extrañado gesto.

—Y es que aquí las cosas se explican —contesta el Shine pausadamente—; si te das cuenta que hay mucho, pero muchísimo billete y muy poca organización... Los únicos organizados son los tiras. A estas alturas del tiempo ya no pasa el camión. Shine regresa al poniente caminando. Shine se pierde en la noche sobre la lateral del Viaducto. Rintrah duerme.

¿JOAN BAEZ NO ES JOAN BAEZ ES JOAN BAEZ?

Y cuando la nostalgia desmerezca a tal punto que sean los ejes viales los que echemos de menos, hemos de brindar por nosotros, los sobrevivientes. Nos emborracharemos a grandes bocanadas como las de los peces que, anzuelo de por medio, sólo por un momento modifican su nombre y sus costumbres. Escucharemos el repertorio de una antigua heroína en este 1981 en Guanajuato, pero eso sí, con la misma blanca dentadura, la delgada elegancia y la vibrante voz. ¿Qué pasó, qué cambió?... El tiempo se ha corrido haciendo que Joan Baez que cumplió los 40 hace tres meses —escribo el día del niño y ella es de enero 9— inicie una regular imitación de la que fue Joan Baez.

De aquella pacifista en las vías del tren de Woodie Guthrie, de aquella neoyorkina de Staten Island hija de mexicano compañera de Seeger y del primer Bob Dylan, de Tom Paxton, Phil Ochs, Tom Rush y Judy Collins, quedó el mismo discurso repetido y nosotros oyéndola en la plaza de toros. De aquella autora que aprendió a cantar y a tocar la guitarra en Boston, Massachussets, que triunfó en el festival de folk en Newport, que grabó en 1960 su primer disco con su nombre de título y enormes resultados, quedó la capacidad de no contestar preguntas "comprometedoras" y de escurrir el cuerpo como quien meneara su capote ante las embestidas en este Festival Internacional Cervantino. ¿Quién la vio en la marcha por la libertad de Washington en 1963 y quién la escucha ahora en Santa Fe recomendándonos enviar, como si el mismo Tío Gamboín lo sugiriera, cartitas al presidente López Portillo para que sienta apoyo desde tierras mineras ante las presiones del exactor y presidente de ella cuya administración e intentos por armar al mundo "me tienen —confesó— completamente aterrorizada".

Quedó con "Yo y Bobby Mc Gee" (escúchala con Janis) y "No llores por mí, Argentina" (ahora la canta en estas tierras con muy aguda voz Nacha Guevara, dentro de quince años la cantará Madonna) en la inmovilidad y los aplausos de un coso medio lleno con periodistas y guanajuatenses y sanmiguelallendescos y defeños entusiastas que refrescaron con "Una larga lluvia va a caer" de Robert Zimmerman aquellos días en que la menopausia no se había hecho presente ni pasado. Se abrió el cajón de los recuerdos de aquellos para quienes Gibert Becaud, el chaparro francés que también estaría en este Cervantino —es demasiado antiguo y Police, que ya ha tocado México, exageradamente posmoderno.

Joan Baez no es Joan Baez sino el papel carbón que interpreta ahora "Gracias a la vida" de Violeta Parra con tintes de Juan Gabriel y pronunciación de Trini López cantando "El martillito" (ya lo había declarado cuando grabó aquel álbum: "No sé hablar español y lo resiento".

Joan Baez cita a Tolstoi "ese ruso tan inteligente" para que se vea que en aquella época presoviética los había, y luego habla de las violencias reaccionaria y revolucionaria que no son "sino mierda de gato una y mierda de perro la otra".

La señora Baez, hija de especialista en el teatro inglés y escocés, nieta de pastores religiosos, es la bromista madre de Gabriel, un niño "perfectamente americano y normal", según declara en este camerino que luego de una no muy exitosa función, encierra entre luces, espejos, cámaras de TV y poco aire las preguntas, las evasiones y los sudores de unas decenas de periodistas ansiosos por saber un poco más. La autora de la canción "Los niños de los ochenta" hace un llamado para que vuelvan los sesenta, los días de las pastillas azules, verdes y moradas, los días de Jimi Hendrix y de los niños flor, y toca tangencialmente los temas de Bolivia y de su dictadura, de Afganistán invadido por tropas de la URSS, de los guerreros del sol y la inflación en México: "Sé que aquí hay inflación como en los Estados Unidos, incluso creo que es un poquito peor..."

¿Qué presurosas conclusiones sacamos luego de esta apresurada conferencia en baño turco? Joan Baez es el recuerdo de Joan Baez cantando la balada de Sacco y de Vanzetti, los espirituales dedicados a la memoria de Martin Luther King y el "Imagine" de John Lennon, porque no considera que su nuevo repertorio sea apto para ser cantado en México.

Joan Baez es esa gran artista del "Nos sobrepondremos" ("We shall overcome") y es esa señora elegante y aparentemente apolítica a quien no obstante no dejaron cantar en Chile hace unos días porque en aquel país de Pinochet hasta el canto de la más normal de las urracas resulta sospechoso. Joan Baez es esa que afirma ante el fin de la guerra de Vietnam que "la guerra no la ganó nadie ni la perdió nadie de los que combatieron; la ganamos nosotros los pacifistas y nuestras organizaciones".

Joan Baez es aquella que hizo el disco *Bautismo* en que dijo y cantó poemas de Walt Whitman, de e.e. cummings, de Jacques Prevert, John Donne, William Blake, Yevtushenko, Rimbaud, James Joyce y García Lorca y es la que canta ahora las "Tres heridas" que cantaría Serrat en aquel disco con poemas de Miguel Hernández.

Joan Baez que sigue declarando ahora que la muerte de Bobby Sands la tomó poco preparada teórica y sentimentalmente, aunque, aclara, ella no moriría así, en una huelga de hambre... Joan Baez que no está de acuerdo con el Ejército Republicano Irlandés y que detesta a la señora Thatcher, "la vieja reaccionaria"... Joan Baez la del disco de 1976 que se llamó *Vientos del golfo*, la de la grabación en Hanoi durante un bombardeo, la del vendido elepé *Diamonds and Rust* con los Crusaders y rolas de Stevie Wonder como de Jackson Browne, la de la autobiografía *Daybreak* y el californiano Instituto de Estudios de la No Violencia, la que se divorció ya de David Harris que fue a prisión tres años por no querer ir al ejército, la que no pagó impuestos porque iban a gastarse en hacer muertos vietnamitas, la cantante de Woodstock, la que entregó otra versión del "Famous Blue Raincoat" de Leonard Cohen es también la mujer que se marcha porque, deja bien claro, no quiere que la deje otro camión en esta vida...

Joan Baez la soprano no es Joan Baez la que canta esta "Buchiana brasileira" de Heitor Villalobos. Joan Baez no es Joan Baez y es Joan Baez y los tiempos ¡ay!, que cantaba Joan Baez, están cambiando como bien dijo Dylan en la voz de Joan Baez.

STING Y ALGUNOS HIJOS DE LA STINGADA

Escribo canciones, no hago propaganda;
no soy periodista, soy compositor.
No creo que con ellas pueda modificar
el punto de vista de los demás. Si eso
pretendiera, nadie me haría caso.

Sting

I

El 30 de noviembre de 1980 Karla Villagrana con bata de seda, con el tabique de papel periódico en el regazo y lo más prominente de su cuerpo, joven todavía, encima del sofá; con los anteojos sobre la nariz, los niños en el beisbol y papá al cuidado, se dispuso gracias a la tranquilidad de quien va a misa el sábado, a leer su *Magazine Dominical*. Para ello hizo a un lado la primera, cerró la nacional, dejó atrás la deportiva con sociales y, finalmente, arribó con colores estridentes a la sección deseada.

El domingo 30 de noviembre de 1980 la señora abrió los ojos más de lo que la costumbre, la miopía y la hora, por lo regular le invitaban a abrir. El titular decía: THE POLICE EN MÉXICO y algo hablaba de "la chinaca". Abajo de las grandes letras se podía leer, entre fotos de personas que sabrá diós quiénes eran, información sobre un trío compuesto por unos tales Sting, Summers y Copeland. Decía el artículo: "En una atmósfera de lo más selecta, 1 000 pesos costó la entrada, se reunieron la crema y nata del jet set del mundo funkie y rockorioso de la ciudad de México en un hotel del sur de la ciudad que retumbó, vibró y se bamboleó con el hanky-panky de los niños feos, de la gente bonita y con pretensión de serlo". El escrito terminaba con la frase: "¡Chale, chale hijo, si los ricos también queman!"

Luego de la primera impresión y tras algunas líneas de curiosidad, a Karla Villagrana no le interesó el asunto mayormente. Dio vuelta a la página y halló una bonita nota con fotografías incluidas sobre la italiana Sofía Loren y su marido visitando Puerto Vallarta. Abajo de eso, los simpáticos comentarios en la acostumbrada columna de un hombre que hablaba del origen de los cosméticos en Fenicia y de la primera película de Shirley Temple, luego de responder una pregunta sobre los anticonceptivos y los abusos catapultados a partir, sobre todo, de la década de los sesenta.

Once años después Karla, con una bata de seda similar, acaba de oír el cucú venido desde Suiza dar la hora mexicana y se ha divorciado. Su marido aprovechaba las supuestas idas al beisbol para verse con la otra. Fue uno de los niños quien lo denunció durante el desayuno y luego de un berrinche en el que le echó en cara a su papá su desatención a dos robos de base y un doble de terreno por andar haciendo lo que ya todos sabían que andaba haciendo. ¿Y qué es eso?, preguntó Karla Villagrana...

El mayor, Anselmo, se fue a vivir con él y a punto está de recibirse en odontología para luego contraer matrimonio. El menor, Aurelio, aún recuerda el bofetón propinado por su padre y vive con la autora de sus días en lo que termina, ahora sí, el tercer año de preparatoria.

Es martes. Es de noche. Es la hora de leer el diario y olvidar aquel fin de semana que de vez en vez vuelve a la memoria: No es para que te pongas así Enrique —dijo Karla Villagrana—. ¿O sí?

Entre semana el *Excélsior* no es tan escandalosamente voluminoso. En la sección de espectáculos viene la fotografía de una linda princesita de telenovela y la declaración de que Lupita D'Alessio no ha recurrido jamás al cirujano plástico. A la derecha hay tres fotografías y un pie que explica la imagen: "un concierto inolvidable en el *Carnegie Hall* neoyorkino". La señora lee los nombres y reconoce algunos: Antonio Carlos Jobim (el del disco de jazz con bossa nova que tanto le gustaba a Enrique), Gilberto Gil (el de "Si quisiera hablar con dios" que alguna vez le oyó a esta chica Eugenia León), Caetano Veloso (el que tiene una hermana que es todo lo contrario a él) y Elton John (el del tema de "Amigos"). La foto de Sting es la primera.

Once años antes también la imagen del profesor metido a músico, Gordon Matthew Summer, venía en primer lugar pero a Karla Villagrana no le importó si él o Copeland o Andy Summers o Police entero; como tampoco le llamó la atención el siguiente par de visitas al sur del Bravo del guitarrista o que el cantante, bajista y actor estuviera viviendo en México varios meses mientras filmaron *Dunas*, película que sí fue a ver cuando la estrenaron en el Manacar, o que el percusionista anduviera buscando sus raíces en África e hiciera la música de la película donde cualquiera —le dijo a Elena Izquierdo, su amiga y compañera de cine de los jueves— se subiría a la moto con Micky Rourke.

Ahora Karla sí que lee toda la información: el río Amazonas, su selva, su oxígeno, el bosque de la lluvia, su vida y con la del río la de la humanidad, están yéndose. Nos estamos muriendo —reconoce la dama con gesto preocupado, aspirando el humo de su cigarrillo de lechuga y ajustándose las gafas. Sting y el jefe indígena Kaomi advierten de la catástrofe y juntan fondos en conciertos así por todo el mundo. Incluso —dice el periódico— se proyecta uno en México.

—Sería lindo ir —piensa Karla Villagrana con su bata de seda once años después—. A ver si convenzo a Elena.

Dobla su periódico, lo deja acomodado en el sofá y se levanta para alistarse —contenta de que eso que es el rock en este país ya haya madurado— porque en menos de una hora llegarán los demás a la reunión del grupo ecologista de la colonia que hoy le toca a ella organizar.

II

Aquí entre nos, les diré que yo soy amigo personal de Sting. Eso no significa que ahora que va a presentarse en Houston el 11 de marzo vaya yo a tomar avión para irlo a oír. Ni tampoco que él vaya a aprovechar la cercanía para bajar a México a tomar un trago con los amigos. Nada de eso. Cuando vino a filmar *Dunas*, esa película que nos dejó una réplica de la Estatua de la Libertad en un tiradero de basura junto al Cerro de la Estrella, él y yo nos vimos lo menos posible. Hay una razón. La gente podría suponer que porque mis vecinos se pondrían luego inaguantables si vieran a Sting entrando a esta su casa vestido con la misma gabardina que todo el mundo le vio cuando actuó en *Quadrophenia*. Trepando las paredes a la caza de autógrafos, cayendo de la barda rompiéndose la columna vertebral, juntando carne, en el mejor de los casos, para los quiroprácticos, en el peor para los enterradores, se los podría imaginar la gente a mis vecinos. Y más: "Ahí, a la entrada de la calle, ahí en donde construyen ese ejemplo de neobrutalismo arquitectónico mexicano que servirá como caseta de vigilancia policiaca, un mentecato oportunista vendiendo pases para entrar a ver al menos la fachada de la casa en donde Sting merendó y pasó la noche. Aquella ventanita, la de allá, la del cuarto de huéspedes, ¿la mira?"...

Pero no. No es ésa la razón. Nunca nada en ese tenor ha sucedido. Y eso que a mi casa han venido Alejandro Lora, Jaime López y Rodrigo González, que no serán Sting pero son dueños absolutos de los favores del personal bandero de los alrededores. Mis vecinos son más bien desconfiados. El otro día que vino un amigo que es igualito a Jim Morrison y que yo, nomás por ver qué pasaba, salí a gritar "¡ora güeyes, en mi casa está Jim Morrison!", me correteó un perro. Nada más.

Recuerdo que, cuando pequeño, quise ser amigo personal de Paul McCartney aunque él me llevara mucha edad. Ahí voy yo en su Lincoln hasta la escuela y me bajo echando estilo y digo justo delante del Negro Martínez que apenas y lo cree sosteniendo el anaranjado balón de basquetbol: "Gracias Paul, luego la vemos". Nunca se me hizo, aunque cuando me le declaré a Rosita Sánchez le advertí que nomás podíamos andar hasta el verano porque el 2 de julio exactamente tenía que verme con los Beatles en la esquina de Abbey Road. Rosita jamás me perdonó cuando se me cayó la mentirota en la esquina de Adolfo Prieto.

Bueno, pero de Sting sí soy cuate. Lo conocí cuando vino Police a tocar en el Hotel de México. Él era el menos cerrado de los tres y como yo no le hago bien al idioma de Shakespeare, que me suelto a cantarle mis rolas así nomás en el mercado de artesanías para llamar su atención. Summers y Copeland más bien clavaron la vista en unas fajas de Cuetzalan uno y en un cofrecito de Olinalá el otro, pero él sí se interesó. "Me gustan tus canciones", me dijo en algo que sonaba a español. (No, si ahora que canta la de "te quierro a ti, siemprre junto a mí", ya mejoró cantidad. Antes era bien difícil agarrarle la onda a la primera.) Habló con tal sinceridad y entusiasmo que, en un arrebato de esos que me dan, le contesté ¡tómalas, Sting, son tuyas! y le di mis partituras. Con ese gesto, nació la amistad.

Luego me escribió diciéndome que las había traducido para hacer el disco de las tortugas azules. Me dio gusto recibir las noticias y el elepé, así como después me dio más gusto cuando me mandó un boleto a París porque quería presentarme en público el día de la grabación de *Bring on the night* para que yo también saliera en el video. Pero preferí no ir. No me gustan ni el ajetreo ni la fama, aunque esto último no sea tampoco la razón real por la que no nos vimos en México tanto como era de esperarse y por la cual no usaré el boleto que me envió para subir a Houston ahora que está cerca.

Ya en confianza se los voy a decir: A Sting le gusta mi chava. Y a ella también le gusta él. Se gustan pues. Y eso es muy difícil de sobrellevar. Porque, de acuerdo, Sting y yo somos amigos y él es un perfecto caballero británico nacido en Wallsend —donde quiera que esté eso—. Pero mi chava es mi chava y yo soy cuate pero no tan liberal como para cerrar los ojos ante la realidad. Uno no puede deshacerse así nomás de una educación de varón nacido en Sotavento. Ya me imagino luego a algún imbécil vendiendo boletos para mirarme pasar: "Mira, esos adornotes los trae por cortesía de Sting".

Una cosa es una cosa y otra cosa es otra cosa. Es por eso que quedamos mejor así: la mejor manera de llevar la fiesta en paz. Allá él y acá nosotros. Seguro después me va a escribir a ver qué onda y yo claro que le voy a contestar. Faltaba más...

III

—Todos los días despertarías con el ruido de estas máquinas infernales —le diré a Sting refiriéndome a los trascabos que desde hace meses están destruyendo la barranca de Río Guadalupe, la que en el Distrito Federal divide el viejo pueblo de Tetelpan de la colonia de las Águilas, la que se suponía zona minada y en la cual no se podía edificar y que ahora tiene trazados lo que parecen espacios para fraccionamiento lujoso de ésos de arco en la entrada y muchísimo billete para quienes lo construyen y una gorda cantidad para quienes lo permiten construir y que luego, porque la zona sí es minada y la naturaleza tiene con la lógica una extraña relación de fidelidad, se caerán; la que podría haber sido reforestada para quedar como alguna vez hace 20 años estuvo, ahí donde corría un río de aguas limpias y que ahora los grandes anuncios de *solidaridad* indican que se está entubando, la que pudo haber sido verde pulmón en esta suroccidental contaminada región de la vieja ciudad de México, pero que no entró en los planes de lucimiento para la foto del señor regente ni tampoco siquiera en los del delegado de Álvaro Obregón sembrando el número 100 000 de los arbolitos tan chulos y tan necesarios como el que el soldado plantó para completar los 33 000 que según el periódico un día el ejército sembró al sur de la ciudad...

—¿Todos los días? —preguntará Sting interrumpiendo el informe.

—Sí —contestaré con la confianza que me da la relación.

Sting entenderá entonces que es mejor para él quedarse en su hotel ahí cerca del viejo y apenas vivo bosque de aztecas ahuehuetes y sabrá también qué derroteros toma la conversación que pretendo publicar, como ya le advertí, a manera de entrevista. Es claro que vamos a hablar en este 1991, ahora que se cumplen dos años de que en Brasil se firmó el 4 de abril de 1989 la nueva Constitución, ahora que en Guatemala se lleva a cabo la reunión de más de 275 delegados de distintas organizaciones indígenas y populares de 24 países, de todo ello.

—¿Te acuerdas de la manera en que ilustraron el artículo que sobre ti publiqué en el periódico en 1988? —le preguntaré a Sting refiriéndome a la fotografía en que aparece tatuado como se tatúan los indígenas amazónicos del río Xingú (*Surucucujaca do pico*)—. Eso será suficiente para continuar hablando de la zona, de la destrucción de la biosfera, del cada vez mayor agujero de ozono y el efecto invernadero, del mayor bosque tropical y el más grande sistema fluvial del mundo y de sus habitantes en peligro de extinción. Algo comentaremos del asesinato de Chico Mendes el 22 de diciembre de 1988, de los *seringueiros* extractores del látex y de cómo aprendieron a convivir con los indígenas y no a masacrarlos como otros siguen haciendo por culpas del oro, la madera, el hierro, la bauxita y tantos recursos naturales más que a ojos de latifundistas, ganaderos, grandes empresarios, militares, etcétera, son simple mercancía que hay que tomar sin que importen los 200 000 indígenas que todavía viven en Brasil de los cinco millones que alguna vez hubo; sin que importe la manera de vivir y la cultura de los xingu, los puturu, los tauanauá, los apuriáa, los yanomami o cualquiera de los 180 grupos tribales de ese país que han estado ahí desde hace siglos y que ahora por cuestiones de la modernidad tan en boga están dejando de estar y para siempre.

—¿Qué modernidad es ésa? —le diré a Sting citando a Aylton Krenak, el indígena yanomami que coordina la organización alternativa *Uniao de Nacoes Indigenas*—, ¿qué modernidad que es incapaz de asimilar un universo cultural tan diverso, tan rico, como el de la gente yanomami, esas aproximadamente 20 000 personas con un acervo cultural inmenso, con una historia de 6 000 años; ellos que son capaces de reconstruir la historia que se remonta a la formación de los ríos y de las cadenas de montañas? Ésa es la modernidad de las máquinas infernales y de los cerebros secos como el tepetate y la arena que caen diariamente frente a la casa donde vivo, como la tierra de lo que antes fue selva y luego fuego y luego sequedad con la que los *garimpeiros* buscadores de oro cubren los cadáveres de los cientos de indígenas muertos por la malaria y otras enfermedades que éstos no conocieron sino hasta que llegó el blanco con sus carreteras y sus minas y sus latifundios y sus presas y sus barcos-fábrica y sus reservaciones y sus leyes; hasta que llegó el amarillo con sus bancos enormes y su tecnología para arrasar con cada uno de los árboles posibles y no posibles, cada una de las aves reales e irreales, cada una de las realidades y los sueños de las almas que ahí vivían y que hoy están muriendo a golpes de tuberculosis, gripe, sarampión, sífilis, alcoholismo, gonorrea, tortura, miseria y todas esas cosas que para los indígenas significó la llegada de la civilización tan moderna, tan occidental, tan del siglo XXI.

Sting me responderá de manera inteligente y mesurada ya que ésas son dos de sus características: la inteligencia y la mesura. Luego hablaremos acaso de Amnistía Internacional y de la sección mexicana que debió haber aprovechado su presencia aquí para hacer algo más allá que repartir folletos en las entradas del Palacio de los Deportes. Comentaremos los fallidos intentos por traerlo a él y a Milton Nascimento a dar un concierto en Chiapas y atraer así la atención del mundo sobre el asesinato en y de la selva chiapaneca y de sus indígenas habitantes. Acaso ya para pasar a comer le preguntaré que por qué se comportó como cualquier pop star ante los ojos ávidos de otro comportamiento distinto al del pop star y que por qué no dio entrevistas. Y acaso me conteste que por eso.

IV

¿A qué vino Sting a México?

Entre otras cosas Sting vino cuatro días en octubre de 1991 para que constatáramos personalmente que cada vez es mejor en lo suyo, ya como instrumentista dominador del bajo con o sin trastos, ya como cantante, ya como creador de canciones. Estas tres son, según ha declarado, razones que le hacen permanecer en un medio tan agreste y tan poco flexible como es el del espectáculo rockero. Entre otras cosas Sting vino a hacerme constatar personalmente que no conozco a ninguna mujer que responda al nombre de Marcela que no se haya derretido ante la visión del güero y su chalequito amarillo, el mismo que utilizó todas las funciones en el Palacio de los Deportes y que debe recordar por el hornazo la célebre batalla de Hastings y sus bajas jamás sepultadas, días después, en el mismo campo de frente a la costa francesa de Calais en aquel poco higiénico año de 1066. Una Marcela, la que nada más lo vio a varios metros de distancia mientras tomaba fotos, pensó en Ace Face, el personaje de *Quadrophenia*, llevándola en moto hacia los acantilados para perderse con él definitivamente; otra Marcela, la que recibió su disco dedicado, miró la firma y rompió a llorar tres días seguidos como rompen a llorar quienes nada pueden hacer ya con su emoción agazapada; y otra Marcela, a la que abrazó al terminar el último concierto, decidió tomar un tren que, dijo ella, la conduciría a Sicilia alguna vez.

Entre otras cosas, Sting vino a hacernos constatar lo poco eficaces que son en México las así llamadas conferencias de prensa si lo que uno pretende es efectivamente conseguir información. Sirven, sí, para otros asuntos como demostrar en pocos segundos lo baboso que se puede llegar a ser por andarse queriendo lucir ante los chicos de los medios y el artista con preguntas del tipo de "Señor Sting, ¿y usted qué opina de nuestra música prehispánica?"; demostrar lo mamón que se puede llegar a sonar cuando uno toma el micrófono y con el mejor inglés aprendido de tanto andar de

163

shopping en el Macy's o agarrando bronceado en Isla del Padre, dice "Welcome Mister Sting, our super radio station, by the way, Sting's official radio station, guafa guafa guafa y más guafa"; demostrar que los traductores oficiales le echan de su ronco pecho y que si el artista dijo que está contento de volver a México luego de haber estado en aquella gira con Police y filmando *Dunas* en los Churubusco, la traducción se torna un "aquí el señor Sting dice que como México no hay dos", y cómo esta declaración del señor Sting en la pluma de algunos de los asistentes ya portando su gorrita de Sting en la testa y su camiseta del refresco oficial se tornará un "el señor Sting, consciente de que el mariachi es la neta, anunció que abrirá su concierto el mariachi tal, y que está muy contento de que el cantante bravío fulano de tal sea quien le abra y que si le hubieran avisado antes, mejor él le abría al mariachi"; demostrar que Sting tiene una muy limitada idea de lo que es la música mexicana y que hubiera sido función de su compañía disquera —soñar no cuesta nada— posibilitarle opciones más allá de la opción del turista y no simplemente aprovechar para lanzar a uno de sus nuevos artistas manejando el lugar común de que ésa es nuestra música, lugar común que los fervorosos asistentes al grito de uff qué puntadón, aceptaron con todo el patrioterismo que un mes después del mes de la patria y a dos de las posadas todavía se almacena en cantidad suficiente como para vertirse en alta expresión de decibeles a la hora de "de qué manera te olvido" del michoacano juarense, como si fuera final de un festín de graduación de universidad privada. Entre otras cosas, Sting vino a hacerme constatar que los abuelos de mi hija Eréndira la cuidan bien mientras su madre y su padre se van a escuchar la música que con gran calidad y nada de espontaneidad puede hacer David Sancious en los teclados y la guitarra a la hora de homenajear a Jimi Hendrix con una estupenda versión de "Purple Haze" —música que al tratarse de Sting hará normalmente acto de presencia ya que el británico siempre ha admirado la obra del guitarrista de Seattle (escúchense si no los discos pirata que con la orquesta de Gil Evans se grabaron en Italia). Entre otras cosas Sting vino a hacerme constatar que los sacaleche son un inmejorable invento si se trata de dejar la mamila preparada para poder así encontrar la fuerza, la disciplina zappiana, el colchón rítmico de la batería de Vinnie Collaiuta o la rockera expresividad que al principio fue más aparato y ya en el tercer

concierto tejido de mejores ideas —aunque no por ello espontaneidad— en el requinto del argentino radicado en Inglaterra
Dominic Miller. Entre otras cosas Sting vino a hacernos constatar
que la organización de conciertos en el Palacio de los Deportes
está cada vez más lejos de la época en que cualquier funcionario
menor hallaba justificación para cancelar eventos por sus pelotas
y es cada vez más profesional en todos los terrenos, desde la sebosa
problemática de la sonorización hasta la atención al público, a la
prensa, etcétera y que lo que menos deseamos los rockófilos es
que la prepotencia vuelva a las andadas.

Entre otras cosas, ya que hablamos de prepotencia, Sting vino a
hacerme constatar que los que manejan los destinos de las com-
pañías discográficas en México están a años luz de entender que
más allá de su limitado coto existe el mundo y Sting vino a hacerme constatar que su *manager* es un ojete pero él no, y por lo
mismo la próxima vez que venga a él sí lo invito a mi casa pero a
sus cuates no.

Entre otras cosas, este hombre nacido en octubre al comenzar la
década de los cincuenta, vino a hacerme constatar que eso que es
el rock, el universo del rock que tiene más o menos su edad, es un
algo en el que nada se perdona y menos que menos la inmovilidad. Entre otras cosas Sting vino, además de a celebrar su cumpleaños número 40 un nuevo 2 de octubre, a hacerme constatar
que uno hace de la idea que uno tenga de su rockero favorito
lo que quiere, pero que la sociedad del espectáculo del rock a fin
de siglo, también.

V

¿Rada y los hijos de la Stingada?...

Ajá, Sting ha vuelto. Es marzo de 1994, tiene un Grammy nue-
vecito en el bolsillo y ha perdonado nuestras ofensas. El año pasado permitimos que la subnormalidad vuelta play back acapulqueño
lo presentara en la celayense voz del gurú del retraso Raúl mental
Velasco y todos pensamos que el inglés no volvería jamás. ¿Qué
pudo hacerlo cambiar de opinión? ¿Qué lo convenció para aparecer en el canal de las estrellas? ¿Qué lo llevó a Guadalajara y a
Monterrey en 1992 si los que lo trajeron al Palacio de los Deportes

no querían realizar tales conciertos? ¿Cuántos ceros hubo que agregarle al dígito cinco en dólares para que la Cervecería Cuauhtémoc lo llevara a tocar bajo la protectora sombra del cerro de la Silla? ¿Cuántos para hacer el ridículo en el siempre dominical centro de convenciones del Pacífico? ¿Cuántos para que el estadio Jalisco —luego de haber amenazado con largarse a Morelia— guardara ante poco personal sus decibeles?... Desde luego muchos más de los que normalmente cobra: que por dinero no paramos cuando se nos mete en la cabeza en la cervecería el capricho de traer artistas pus qué...

Sting vino una vez más a una ciudad de México sacudida por la falta de noticias del subcomandante Marcos.

—¿No será él? —se pregunta una de las fans—. A ver, píntale un pasamontañas...

Una noche nada más. Es suficiente para que los más cursis desparramen melcocha en sus crónicas posteriores; suficiente también para que algunos nos pongamos en plan irremediablemente ojete y suficiente para que —sufrida la experiencia del mariachi abridor de la otra vez— se piense en un grupo que abra de manera correcta el recital. ¿Y qué quiere decir esto de correcta?

En esta ocasión el ungido es uruguayo. Hablemos de él. El nombre es Rada y es un músico que radica en nuestro país desde hace tiempo. Regresó de una de las giras sudamericanas de Tania Libertad acompañándola. Las cosas no iban bien por allá no obstante su fama siempre bien ganada, así que optó por aceptar la oferta de tocar y cantar con la peruana en lo que se asentaba en su nuevo terruño boreal y comenzaba a presentar lo suyo. Lo hecho por Rada como compositor e intérprete en la música popular contemporánea platense, enraizado en el uruguayo candombé, es, incuestionablemente, excepcional. Entonces, ¿qué lo llevó a proponer cosas tan malitas y tan mal sonadas en el Palacio de los Deportes?... Desglosemos:

¿Se acuerdan amiguitos de aquellos días donde el animador le tocaba la campana a quien se atrevía a cantar? Todas las condiciones estaban en contra del pretendido artista. Había, para trascender la situación fatídica, que hacer de tripas corazón y echarle muchas ganas al talento: una lucha desigual, a no dudarlo. Bueno, pues eso o algo similar sucede cuando los "organizadores" te hacen el flaco favor de dártela de grupo abre-concierto: todo está montado para Sting y ahí te acomodas... cuidadito y le mueves a la consola... deje ahí y apúrese a poner sus chivas que ya van a llegar los guaruras del artista... ya sáquese...

Rada no obstante —músico canchero si los hay— decide echarse al bolsillo al público con propuestas fáciles. Nada que los saque de onda porque ya sabes que una vez iniciada la rechifla no hay manera de mandar parar.

Sean éstos, según mis binoculares más que mis orejas, los elementos que despliega: a) guapa mujer percusionista aparece en el escenario con solo apantallador "nomás pa'abrir"; b) músico negro —Rada desde luego— frente a las percusiones le hace segunda en el escenario para, aprovechando el desconcierto y utilizando lo que el intelectual de Televisa Juan Dosal ha designado magistralmente como "el elemento sorpresa", destantear al público que empieza a colmar el deportivo palacio, haciéndolo creer que eso que viene a continuación —guturales maniobras de la voz— es ya parte del recital de Sting; c) baterista rockero, guitarrista rockero aparentemente argentino —¿y cómo tus binoculares alcanzan a detectar su austral procedencia? —pensará el lector— y bajista ¿mexicano?; d) par de coristas que hacen recordar con sus pasitos dancísticos un episodio televisivo mexicano protagonizado en los años del blanco y negro por el célebre don Facundo, un dúo de gallinas y una plancha electrificada que, voltios mediante, las hacía bailar. Don Facundo, mago en el arte de enseñar triquiñuelas varias a roedores que provocaban el gozoso delirio del infantil espectador, al parecer por excesos etílicos, movió de tan exagerada manera la perilla reguladora, que orilló a las ennegrecidas aves a ejecutar el último hanky-panky de su plumífera existencia antes de caer hechas polvo ante los jerimiqueos del dueño que inconsolable gritaba "mis gallinitas, mis gallinitas, ¿qué les pasó a mis gallinitas?", y e) cuatro o cinco composiciones originales del artista que de haber existido un ingeniero de sonido pudieron haber servido para que el público se diera cuenta de que lo que el uruguayo estaba proponiendo eran facilidades para el meneo y el entretenimiento en lo que llega el güero. No más, no menos: Aquí está el cantante invitando al respetable a cantar con él mientras las damas coristas respingan de un lado al otro ante las cadencias del reggae preguntando: "Bob Marley, Bob Marley, ¿cuánto nos diste?" y obligando a que el rastafariano pop star tiemble en su tumba preguntándose por qué y sintiéndose como dándole cuentas a Jah luego de haberse fumado un toque de ganja rociada con insecticida; acá está el bajista interpretando un solo genial que podría haber pasado a la lista de lo que Jaco Pastorius no pudo tocar en vida, de haber habido forma de escucharlo, pero que —¿es que hay alguien detrás de esa consola?— sólo dejó oír las últimas dos notas porque fue hasta ese entonces que le abrieron el canal; acá está el guitarrista saturando los rincones del lugar haciendo que los nostálgicos recuerden las verdaderas condiciones acústicas del techo de cobre de esta olímpica construcción... En fin: todo lo que cualquier artista debe hacer para no pasar a la historia.

Claro, Rada ahora dirá ilusionado —bondades del autoengaño ejercitadas a la hora que le preguntan a uno por teléfono al día siguiente ¿cómo te fue?— que todo estuvo al tiro, que los hijos de la stingada estaban contentos con su actuación y que hasta le pidieron otra. Pero los hijos de la stingada estaban ahí para divertirse. Lo mismo da organizar olas, que aventar globos —en las primeras filas— o condones inflados —en las siguientes—, hacer como que ese que ocupa el escenario, y que no es Sting, invita a oírlo. Se está aquí para reventar billetes mediante, para tener listo y a la mano el encendedor que acompañe al británico en las rolas tranquilas, para levantar el índice de la derecha brincando en las movidas. Los organizadores lo saben y lo hacen sentir al artista abridor: uno no es sino la alfombra de bienvenidos. El estrella foráneo puede pisarla, limpiarse con ella los zapatos o esquivarla con artístico saltito. Para eso está. Lo único que queda del naufragio es un dato más en el currículum que no hará que Rada venda más discos de su producción nuevayorkino-mexicana antes de regresar a su país, unas cuantas menciones por no dejar en las crónicas periodísticas —por lo regular escritas en mala onda perdonavidas— y, desde luego, una ingrata experiencia para artista y quienes, conocedores de la real potencialidad del uruguayo, queríamos escuchar.

¿Qué te pareció Rada?, le pregunté al sonriente chamaco al terminar el espectáculo. ¿Quién?, me dijo todavía tarareando "Fragilidad"...

Señoras y señores, Sting ha vuelto. Puede no ser difícil que venga a tocar más tarde: ¿Quién querrá abrirle?

NUNCA DIGAS MORIR

Han pasado días. Muchos creo. Escucho a Black Sabbath; "Never say die". Ahora resulta... Nomás pesado yo que siempre mandé al carajo a tu Led Zeppelin. Pero las discusiones sobre "El Perro Negro" fueron hace ya mucho. Me acuerdo que Elena siempre que oía "Escalera al cielo" quería revolcarse sobre el tapete verde de tu cuarto y tú, pinche ojete, a cada rato la mandabas al carajo... Ahora no estoy bien. Ya hace un buen que me estoy metiendo demasiadas cosas. Es como un exceso alargado que sigue y sigue, que se estira y comienza a crepitar por falta de elasticidad. Me cae que siento la respiración endurecida. Acalambrada. Nomás que no es bastante. Jamás será bastante. Nunca estás hasta la madre. No puedes. Nomás no se puede. Ni chance de chillar como al principio. Guacareabas. Tu cuerpo seguía solo hasta que te acostabas en el piso frío, alivianante y luego chillabas un buen hasta dormirte. Pero aquí no. No hay saliva ni lagrimeas ni sudas ni nada. Cuesta un güevo hablar, tragar, alzar los ojos, hallarte con que el sol ya está ahí. Estás seco. Bien seco. Y te pudres. Eres un pescado frito olvidado tres días en la sartén. Nunca estás hasta la madre. Sólo estás seco y te pudres mirando para arriba con un ojo de vidrio...

Hasta ahorita me di cuenta. Traigo los lentes. Me arde la nariz. Todo el tiempo los traje puestos. La he de traer bien irritada. En la noche alguien quiso ponerse guapo con una buena dosis de perica para todos. Quién sabe a qué cabrón habrán sableado estos güeyes.

Agarraron el espejo grande de mi cuarto y el Pato escribió su nombre. Luego luego nos ves a todos corriendo al baño haciendo cola pa'cagar. Ojetes: puro laxante.

Sabes que el Guti se trajo un peyote y un mezcal que le pasaron ora que estuvo en San Luis. Ya llevaba mucho tiempo curándolo. Las cabecitas flotaban como los lirios chamuscados de allá de Pátzcuaro. Como dulces de leche. Como las viejas que se quitaban el brasier los domingos en Chachalacas. Pinches ruquitas. Nomás les ves las tetas alargadas empapándose en un mar que las menea pero de plano ya no quiere nada con ellas. No les queda. Son como sus sonrisas chimuelas las cabecitas flotando en el mezcal. El Guti se andaba peinando con que no nos lo acabáramos que no sé qué. Valió madres. Nomás el puro garrafón vacío recuperó y eso por favor. Ya sabrás cómo nos pusimos.

¿Te imaginas cómo se debe sentir la piel que se quita la víbora? No cómo la siente uno si la toca. Cómo ha de sentir ella misma, la piel. La piel que ya no es piel de nadie pero es piel aunque ya de plano ya no es nada. Bueno, pues así ando. No te muevas o el mundo se rompe alrededor de ti y te caes. Vas pal piso. Un terremoto. Un espejo a madrazos. Todo se oirá crac-crac-crac si me muevo. Así que me estoy quieto por instinto. Como las ratas viejas que saben que las más jóvenes se las van a banquetear. La cosa es no mostrar la panza. No darle chance a las otras de adelantarse. Así mero. Si vivir es más que una costumbre, me cae. "Never say die" con el Black Sabbath. Ni más ni menos. Un orden que no se puede romper y no se dice. Lo veo claro. Siempre lo veo claro. Una rata al fondo de la coladera sin moverse, sin delatar su presencia a las otras, sin siquiera dar chance de que la muerte la sienta, salta de pronto y se chinga a las demás, a las más pendejas. Les llega antes para soltar los primeros y los últimos putazos. Así nomás. De otra manera vales lo que soplas: pura verga. Te mueres en un rincón porque ya te tocaba y ni la lucha le haces. Yo paso.

Recogí el disco. Gracias. Ese día aparecieron los tiras en el periférico. A José, que iba manejando el coche de su tío, no le hicieron nada. Nomás no lo dejaron bajar. A mí me sacaron muy tranquilos. Muy buena gente Manuel, muy ojete. Ya dentro de su coche me examinaron con lujo de detalle. Me dedearon. Casi me sacan los intestinos para ver qué traía. Les daba igual de todas formas. Al fin y al cabo, dijeron los hijitos de su chingada tan cordiales, ya estás apañado y te vamos a abaratar por modosito. Si hasta te está gustando cabrón puto.

Pasó un coche de azules echando lamparazo y toda la faramalla, pero nomás se dieron cuenta que eran judas salieron vueltos madre. Los marranos sí pueden estacionarse en pleno periférico sin pedos, pensé un momentito antes del primer madrazo. Ya despúes no pensé nada. Arrancamos camino del Desierto. Pasamos la vía y se siguieron hasta arribita del panteón. Me golpearon el viaje completo y después me dejaron madreado, calladito. Nunca había estado ahí. Eran minas. Minas de arena. Ha de vivir gente porque luego luego llegaron unos perros a chingar. Pobres jodidos y más con sus visitas.

Los tiras ni siquiera buscaron dentro del coche. Sólo querían pararle una buena madriza a alguien porque sí, porque cómo no. Un ejercicio para mantenerse en forma. Para mantenernos a nosotros también en forma. Qué caso buscar excusas.

Hace rato oí el disco. José apenas lo trajo. Andaba culeado. No sabía si hablar. De veras está bueno. Por eso quise escribirte. Estoy muy madreado. Nomás de acordarme hasta risa me da y me río más porque sueno como silbidito, como pinche víbora presumiendo la piel nueva. No buscaban más que pararle a alguien la verguiza de trámite. Como dice el Alex: pus ya qué.

Ahorita son como vacaciones. Como estar solo aquí dentro, de vacaciones con tu cuerpo bien jodido. Al final tienes que salir de nuevo a talonear. No vas a dejar que te agarren inmóvil, que vengan a buscarte. Pinches ratas.

LOS MUROS POR ASALTO

Se prohíbe escribir, hablar, amar y hacer-
se de las aguas... después llovió.

Ángel Miquel

Han tomado los muros por asalto.

Lo consignado ahí no es la pinta política ni el insulto producto de la rabia. En la placa el mensaje puede viajar desde el absurdo al más crudo descreimiento. En la vieja San Pedro de los Pinos el peatón se detiene a leer que *Fantomas es cien por ciento punk*. Detrás del Panteón Jardín se consigna la existencia de las Arañas Pantioneras, los Morris, los Sex Tepos. En calzada del Hueso con aerosol colorado, el instrumento más útil para dar movilidad al mensaje y al mensajero, alguien rubricó un fallido escrito de esperanza: "Me queda la palabra". Sobre esto, como una incisión diagonal, un hondo corte, una herida de muerte, otro alguien estampó: "Entonces ya valiste madres". No más fe. No más engaños del discurso. Nada: el purificador nihilismo, el impuro nihilismo. La intensidad, la arrebatada permanencia del instante.

Estos grupos de jóvenes han tomado los muros de la ciudad de México —ese hato de barrios, pueblos, colonias y ciudades que es la ciudad de México— y consignan su existencia siempre vuelta datos; la vida de quienes no viven para con la institución sino en la estadística. Viven en la barda, en el muro. Es el mismo sitio que otros han levantado para evidenciar la diferencia, la propiedad privada, la defensa, el fracaso de una revolución caduca ahí donde la riqueza está perfectamente repartida entre cada vez menos gente; en donde el poder es detentado por una minoría similar; ahí donde el discurso de la democracia es día con día una recopilación de términos gastados poco creíbles, incluso para los que viviendo de él lo repiten hasta el cansancio. Sobre las puertas, en los cristales de los grandes automóviles estacionados, bajo los ventanales, sobre las más blancas paredes para que cueste más y más esfuerzo atreverse a borrarlo, en las aceras o en los sucios costados de un camión Ruta 100; en todas partes se halla el, para muchos, incomprensible mensaje.

Una noche salieron del olvido, del cinturón marginal donde se les puso sin más durante años. Al día siguiente la ciudad amaneció cubierta de algo más que mugre y abandono. Para la incredulidad, para el miedo, para la desazón, para la ira, las placas se manifestaban contra las prohibiciones; contra la, al parecer, única prohibición terminante: la de existir. Las bandas surgían con su irritante voz de pintura y de concreto. Dudar de su existencia ya no salvaba a nadie.

Esto fue hace unos años. El amarillista periodismo cultivado por Zabludovsky y sus iguales no consignó nada sino hasta que pasaron a la acción. Por la zona poniente del valle de México un "grupillo de delincuentes juveniles" ponía en jaque a la ciudadanía decente. No cruzar por la zona resultaba recomendable: ya la policía los iba a arreglar...

Pero no los arregló. No los había arreglado el constante ir y venir de nuevas razzias. Las agresiones de la policía se intensificaron. Las miras bajaron: el objetivo ahora eran los cuerpos. La urgente tarea era acabar con los "Panchitos". El nombre pronto sirvió para la generalización. Con una sola etiqueta se capturaba así a los Verdugos, las Amazonas, B/U/K, los Vagos y varios, muchos grupos más; a todos esos individuos agrupados. La opinión pública bendeciría el taxonómico ensayo entendiéndolo como primer paso para la eliminación: detecta, bautiza, elimina. Había que creer que eran sólo unos cuantos los jóvenes descontentos para así mantenerse tranquilos. No podía así de pronto evidenciarse tal falla en el mundo. Pero esto era como pavimentar el enorme foso que por esas fechas se abrió en Parque Lira. Las cloacas del sistema hicieron explosión y no hubo drenaje profundo que acudiera al salvamento.

Grupos y más grupos consignaban su existencia en los muros, asaltando autobuses y comercios o simplemente con su amenazadora presencia tomando la calle y haciéndola suya, dividiéndola y dividiéndosela con base en abruptos convenios siempre respetados: los resultados del enfrentamiento. Muchos barrios de la ciudad cobraban así una nueva fisonomía y otra división geográfica. La ciudad entera se divide entre bandas. Nada mejor que agruparse para existir en una sola presencia colectiva. Con ello se obtenía una identidad siempre negada por quienes detentan el poder y deciden que en la marginación todo ha de ser anonimato. En la banda el joven no sólo da sentido a su existencia sino que la consigue socialmente. A este proceso celular inmediatamente se le calificó; la sociedad no podía creer que jóvenes marginados pudieran unirse sino para realizar actividades delictivas. Todos se volvieron "Panchitos". Todos con el mismo marbete para identificar violencia, atentados contra la propiedad, contra la ley, las buenas costumbres y hasta —santo cielo— el buen gusto. Muy pronto todo joven de escasos recursos económicos se tornó un "Panchito" potencial. Súbitamente todo menor es a ojos de la policía un delincuente si se le ve por el rumbo de Santa Fe, por Alfonso XIII, presidentes, El Cuernito, la Cuchilla del Tesoro, el Molinito, el norte, el sur, el este y el oeste.

La represión se agudiza. La sociedad envía sus armas represivas más potentes, desde el cuerpo uniformado de azul a los agentes vestidos de civil. En alguna ocasión el ejército se encargará de la sucia tarea. Destapados camiones suben por avenida Observatorio, bajan por Zaragoza, cruzan el Periférico, con su violenta carga dispuesta a la redada. Pero los jóvenes siguen asomando la cabeza acusadoramente. La sociedad no les permite ningún tipo de oportunidades. La institución los trata por un lado agresivamente y por otro los intenta arropar paternalistamente hasta la total inmovilidad. En muchas ocasiones se aprovecha su despolitización para engañarlos y utilizarlos para la violencia. En otros momentos se usa su imagen ya domesticada para justificar la existencia de organismos gubernamentales paternalistas que significan civilizadas vías de escape y con ello la validación del sistema: "La democracia existe", claman los licenciados... Pero no hay manera de ganarse la vida. Al menos no dentro de las reglas del juego social. Las bandas crean otras vías y con ellas otros códigos, otras formas de comunicación. No es sólo el lenguaje de las placas derivado del cholo norteño y los pachucos antecedentes. Los signos en su principio fueron menos complejos. En la ciudad de México el grafitti toma elementos de las paredes angelinas tanto como londinenses, de los muros de Tijuana, Culiacán y la Guadalajara al otro lado de la calzada Independencia.

174

El cholo y el punk se vierten sobre una realidad distinta en un tiempo distinto.

La vestimenta se transforma. No es la moda retro de los cholos ni tampoco la imagen afilada y agresiva del punk inglés o estadunidense de los años setenta. Es eso y es más. A las bandas en la capital del país no les preocupa mayormente el origen contestatario del cholismo chicano ni tampoco los múltiples roces y acercamientos ya con la anarquía ya con el nihilismo ya con el fascismo. ¿Qué importa si Sid Vicious o Rotten o Cook fueron hace ya años? ¿Qué importan los sociólogos y sus enrollos? Ésta no es una actitud ante la vida. Es la vida. Simplemente se toman elementos de todas partes y se integra un lenguaje diferente y diferenciado que tú no entiendes y yo no te voy a explicar porque siempre habrá algo más importante que perder el tiempo con imbéciles como tú:

—Me queda la palabra...

—Entonces ya valistes madres...

El rock de enormes descargas decibélicas de grupos ingleses y estadunidenses se aúna al rocanrol de los siempre presentes miembros del Tri, los jóvenes abuelos, y de grupos más jóvenes, más crudos, más directos, por el simple hecho de ser más iguales al que enfrente desparrama vigor en el slam. Con ellos, el Charro del Rock, la Banda Bostik, el Haragán, Rebel d'Punk, Masacre 68, Atóxxxico, etcétera, surgirán también muchos grupos efímeros que se incendiarán sobre la escena para caer encima de sí mismos ahí abajo.

La juventud marginada danza de otra manera. Las modas no importan. Son saltos, vuelcos sobre sí mismos, giros sobre un eje, contorsiones al aire. La danza sobre el cemento es una sucesión de secuencias y no una continuidad. Es la danza en el cemento como los concheros frente a la Basílica, como los rockeros en el hoyo. La danza en la calle y con la banda, no es el tíbiri-tábara formal; esto es un encontronazo en el aire, un sonriente golpe en pleno vuelo, un acarnale antes de la caída. La identificación es la sorpresa. Ésa es otra manera de vivir el rocanrol en esta ciudad. Los nombres de grupos pueblan las paredes: grupos de rock en los que la etiqueta para definir qué es eso que se escucha es lo de menos y será lo de más. Han entrado a formar parte de esa grafía. Ahí en el muro convivirá también la enorme lengua de los ancianos pero todavía potentes Rolling Stones dispuesta a lamer las más pudendas partes de quien se tire al descuido. Ahí están las claves de la cita, el toquín, el posible reventón...

Y si eso no es cierto, ¿qué lo es?

El ruido. El violado silencio. El silencio, Más que literatura, más que música, el rock está sobre esos muros manchándolos indeleblemente. Más allá de la domesticación de radio y tele, mensajes de papá gobierno, invitación del jefe de la tira a dirimirlo todo en una cáscara de fut en cancha grande. Más allá de la propia destrucción de las paredes, está la placa.

Las fronteras de la ciudad se han subvertido, los mecánicos límites tutelares se vuelven contra sí. Sólo en la calle está la seguridad. Fuera de la familia y de los honorables territorios de las reglas del empleo y la escuela. En la calle y en la banda. No hay muros hacia dentro. No hay autoridad despótica, arbitraria, paternal. No hay arrepentimientos.

¿Cómo reacciona la sociedad ante el descreimiento? ¿Cómo vender una verdad a quien no cree en pagarla ni tiene la manera? Después de todo, ¿por qué tendría que hacerlo?* ¿Cuántas años han pasado desde la noche de la primera pinta? ¿Cuántos sexenios desde que Victorino, El Chicles, escribió:

"Nosotros somos más antisociales que políticos, no estoy escribiendo canciones de protesta, ¡yo soy la protesta!, ¡yo soy la anarquía! No voy a permitir que nadie me diga que no soy bueno!"?

¿Cuántos meses desde que el 27 de diciembre de 1993 sesenta jóvenes fueron aprehendidos en el metro tras un concierto, en Los Reyes la Paz, del grupo punk nuevayorkino Enfermos del todo? Los periódicos aparecidos el día de los santos inocentes volvieron a hablar de "banda", "pandilleros", "viciosos", "lacras" y los jóvenes fueron a la cárcel. Sólo Eduardo Monteverde en su columna

---

* Es 1994. Han pasado diez desde que salió una primera versión de este escrito en la revista *Casa del Tiempo*. Ha desaparecido el consejo estatal de atención a los jóvenes llamado CREA dejando su lugar a una organización del deporte; del jefe de policía que invitó a la banda a jugar futbol no queda ni el recuerdo y Ernesto Zedillo, segundo candidato del PRI puesto ahí para suceder a Carlos Salinas en la presidencia —el primero, Colosio, fue asesinado— se junta con la banda para indicarles que a él también —enseñanzas de sus "jefes"—: "le gusta que le tiren la neta". En esos términos se da el acercamiento del candidato que busca —dice su lema de campaña— bienestar para la familia (la suya, por ejemplo), con la banda o esos que asistieron ahí en nombre, dijeron, de la banda.

del diario *El Financiero* le dio seguimiento al asunto. El martes 4 de enero de 1994 entrevistó a algunos de los internos:

"Para mí el movimiento punk —señaló Martín Montiel de 25 años— es ser yo, nada más. Mis destrampes, mis traumas, lo que sea, el significado de las cadenas, los tatuajes en la piel, todo eso, es mi inconformidad con la ciudad, con la policía. El punk es un movimiento pacifista. Creen que no tenemos personalidad porque nos vestimos así, que imitamos a los grupos de rock, pero nosotros no idolatramos a nadie". Liliana Hernández Romero abundó: "Ellos piensan que los punks son agresivos, pero eso no es cierto. Los que hicieron los desmanes fueron rockeros, ésos no tienen ningún objetivo, a diferencia de nosotros, que tomamos ideas, por ejemplo, de Ricardo Flores Magón, de Bakunin".

Probablemente Liliana participó en septiembre de 1991 en el Primer Encuentro Nacional de Anarquistas celebrado en Ocotepec, Morelos. Tal vez Tamara o Martín sean parte del grupo que confecciona cotidianamente uno de los muchos fanzines que se expenden en el Tianguis del Chopo para avisar de encuentros como aquél, lo mismo que de tocadas por venir y denuncias de problemas de la banda. Quizás alguno de los sesenta jóvenes presos al salir se incorporara a la *Red amor y rabia* y trabaje ahora organizadamente en alguno de los colectivos como el Emma Goldmann de Mujeres libertarias o el Ateneo Práxedis Guerrero reivindicando la toma de espacios para habitarlos porque "el derecho a la vivienda es innato al ser humano", en algún taller de sexualidad u organizando alguna toma de embajadas para evidenciar al mundo lo que es claro en el país. Monteverde concluye su artículo:

Las tres (internas), al igual que sus compañeros en el reclusorio vecino, se quejan de no haber sido entrevistados nunca por periodista alguno y que la sociedad los descalifica sólo por su forma de vestirse. De alguna forma se reconocen como continuadores del movimiento hippie de los sesenta y muestran una faceta poco conocida de su movimiento, al que por considerar *underground* no pueden hablar públicamente para no comercializarlo. No obstante, hablan de que organizan tocadas para juntar ropa y juguetes para hospicios y desposeídos. A fines de milenio hablan de paz y amor a su manera.

A fines de milenio los hay también que hablan y buscan la libertad a su manera. Igual que antes, pareciera que no hay otra alternativa.

Zedillo meses después salió sonriente en todos los periódicos. Había cumplido bien con un acto político más en la campaña. Tal vez si le diera tiempo leería alguno de los varios libros escritos en los ochenta sobre el fenómeno bandero en la ciudad de México; en una de ésas vería una película: algo —pensará— sin duda interesante.

"Me queda la palabra" —decía la barda...

"Entonces ya valistes madres" —volvió a decir la barda.

MÁS ALLÁ DEL TRIMITIVISMO

Ai viene Pedro Infante, que cante, que cante
Y ai viene el Alex Lora... Pus ora.

Hace ya bastante de aquellos lunes tempraneros en el radio. Él llegaba con su guitarra, desmañanado pero dispuestísimo. Como resultado varias canciones inéditas o conocidas fueron grabadas y mucha y muy sabrosa fue la plática. Lo recordamos a mediados de 1998. Íbamos subiendo hacia los estudios de grabación Piedradura acompañados de una Fender clásica y de su ángel de la guarda más que secre. En cada tope no faltaba quien lo reconociera: ¡Adiós, mi Alex! ¡Ese Lora, pérate y te invito un chesco! ¡Quíubo el Alex, una chela!... Me siento, le dije, con rumbo al Desierto acompañado de la versión contemporánea de Pedro Infante. Compartimos la carcajada de inmediato. Luego de grabar en reggae una nueva versión de una rola vieja y antes de unos tacos al pastor, planeamos nuevas sesiones radiofónicas de cotorreo y de rolas. Por lo pronto esto que viene es la mínima expresión resultante de aquéllas. Va pues: Maneras de entrar a una entrevista:

I

—¿Cuándo fue la primera vez que te apañaron?
—A la vuelta de mi casa, pero eso ya fue hace muchísimo tiempo o sea que... Fue a la vuelta del Zumárraga porque yo seguí viviendo atrás del colegio aunque iba a la escuela al Franco. Había un parque enfrente. Estábamos unos cuates...
—¿Mota?
—Sí, nos estábamos dando un toquecito. Por cierto esa vez yo le di a la tira mi anillo del Zumárraga.
—¿Te han apañado muchas veces?

—Pues sí, antes, varias.

—¿Y eso provoca canciones?

—Sí, definitivamente.

—¿Nunca has caído al bote?

—Dos noches es lo más. Hace mucho. Un día abaraté a un tamarindo. Me paró y me dijo ya estás pedo y que no sé qué y le digo ¿una lana no?... Y no que vamos acá que no sé qué onda y súbete a tu nave. Sí, pero ya me voy para mi casa... Y que en la necedad lo agarro de la moto y lo empiezo a abaratar gacho y van pasando dos señoras y dale dale me decían a mí y que me aferro y en eso pasa una patrulla y me apañaron gachísimo. Ya me llevaron, me guardaron... Al otro día desafané. Mi jefa y mi padrastro me sacaron.

(Y ahí ponemos de fondo aquélla de

> *Iba en la carretera en mi nave a gran velocidad oyendo una cinta en el estéreo a todo lo que da, dejando que el viento me volara el pelo y que, al cabo me iba sintiendo casi casi como Supermán. De pronto se me emparejó una linda patrulla con dos changos vestidos y listos para atracar, diciendo que me parara pero no me dio la gana, me echaron la lámina y a fuerza me tuve que parar. Bajaron sacando fusca y haciendo mucha pantalla y uno de ellos muy gandalla me dijo así: a ver joven sópleme, trae usted aliento alcohólico, y aquí mi pareja y yo le vamos a dar pa'trás, le vamos a dar pa'trás. Saqué mi cartera y un milagro les brillé pero uno de ellos dijo joven dóblese, les di otros 500 varos y me quedé sin un clavo, se fueron muy educados diciendo que me iban a escoltar...*

OPINIÓN: PÉSIMA MANERA. De entrada le nutres el prejuicio al lector o al escucha. Le alimentas el lugar común: van a hablar del rock, ah pues van a hablar de mota y van a hablar de alcohol. Clásico. ¿Por qué no de una vez le pones de fondo la que hizo con Guillermo Briseño de "Violencia, drogas y sexo"?

II

Nos encontraremos aquí con un Alejandro Lora, poblano, hijo de militar, nacido el 2 de diciembre de 1952, que la mayor parte de los que asisten a sus conciertos en distintos y distantes foros, desconocen. Un Lora diferente al que todos aquellos prendidos con su música miran y oyen y siguen. Un Alejandro Lora más en la realidad y menos en el mito. Un Alejandro Lora: Más allá del trimitivismo.

OPINIÓN: AMPULOSO, diría Lora: hostigoso. Jaquecoso. Arrogante, Mamón. Pareces locutor haciéndola de maestro de ceremonias en transmisión de la televisión privada. Si tanto prometes tienes que cumplir, de otro modo nadie va a creerte.

III

"Por decirte: el Tri puede tocar para los burgueses o para la banda. Abarca los dos lados. Hay grupos que son exclusivos de los burgueses y otros de la banda. Por ejemplo, el Rebel'd Punk lo metías a tocar en un programa de Luis de Llano y no lo dejaban. Que sus letras son ofensivas, que no saben tocar, etcétera. El Tri entra en los dos campos aunque menos en la tele porque ahí está bien apañada la onda. La balanza está bien medida. Existe el rock plástico y el rollo que tiene gente como este De Llano con sus grupos que inventa de un día para otro y que son efímeros. Y están los grupos que existen de toda la vida y que existían desde antes de que él pensara en el rocanrol y va a seguir existiendo hasta mucho después de cuando él se clave en seguir haciendo sus telenovelas y se olvide de transportarlas al rock."

OPINIÓN: Esto está mejor pero algo confuso. Está bien comenzar con las palabras de Lora así, sin preguntas. Ahí hasta le metes de fondo música de aquellos grupitos que se vaya desvaneciendo para dejar la de "El muchacho chicho" con todo y la participación de Brozo. Habría nada más que afinar, quitar nombres, detalles. Ser más sintético.

IV

La primera y única vez que Alejandro Lora ha tocado en el Palacio de las Bellas Artes, fue para presentar un libro. Aquel domingo antes de tocar, sentado en la mesa de los presentadores, y una vez movilizado todo el aparato de seguridad del recinto sabrá Dios por qué, cogió el micrófono cuando llegó su turno y dijo, sintético, claro: "Cómprenlo, yo ya lo leí y está bueno". Fue todo. Luego vino la música y hasta los azules se pusieron a bailar.

OPINIÓN: Anecdótico pero onanista. Si va a ser por ahí inténtalo de nuevo.

V

—Aquí dice un radioescucha que el rock es droga. ¿Qué opinas?

—Pues que si el rock es droga, que lo legalicen.

OPINIÓN: Mejor pero cortito y sin contexto. Va de nuez.

VI

—Aquí dice otra radioescucha que el Tri es reaccionario.

—Pues sí: reaccionamos a todo.

OPINIÓN: Ay no mames...

VII

Como la tierra, el rock es para quien lo trabaja... (y viene la de "Estoy esperando mi camión en la terminal del ADO")...

OPINIÓN: Ahí sí de plano, ya valiste lo que soplas.

AGUAS DE JAMAICA

para alejandra pérez grobet

El 11 de mayo de 1987 se armó un programa de radio en Zacatecas.
En Newcastle upon Tyne, Inglaterra, en esa fecha, pero en 1941,
nació Eric Burdon.

Nunca salió editado en México el disco *The Night* que por el
1985, con cierto éxito, marcó la reaparición de este hombre en
el mercado rockero internacional luego del encuentro en 1983 de
Los Animales en pleno; *Acostumbraba ser un animal pero estoy
bien ahora*, texto autobiográfico publicado en 1986, tampoco.

Se trata —confesó el organizador entusiasmado y al teléfono—
de hacer un mínimo homenaje. No hubo demasiadas estaciones de
radio, canales de televisión, periódicos, suplementos culturales o
revistas que hicieran caso. El asunto en México pasó totalmente
de noche.

Aquel otro 11 de mayo algo similar debe haber sucedido. Si el
mínimo-homenajeado zacatecano viviera hoy, tendría ocho años
menos que el escritor chiapaneco Eraclio Zepeda. Ambos, sin duda,
tanto el mínimo-homenajeado como el cuentista, aplaudieron una
nueva derrota del colonialismo en África cuando Zimbabwe asomó
la cara hacia el futuro. El mínimo-homenajeado grabó una canción
y montó todo un festival celebratorio. A su manera continuaba así
su vínculo con todo aquello que combatiera la histórica opresión
de su pueblo, su gente, su raza.

Al año siguiente de que en la vieja Rodesia se pactara el cese de
fuego, en Miami, Florida el mínimo-homenajeado en Zacatecas,
se murió.

Ese fatal suceso atribuible al cáncer permitirá tiempo después
al elocuente afirmar: "Sin Bob Marley el rock y el jazz y muchas

de las otras vertientes de la música popular del mundo, luego de la década de los setenta, jamás hubieran sido lo mismo".

"Para ir más lejos —agregaría—: el estadio de futbol de La Corregidora en la ciudad de Querétaro, el que vibró por las fulgurantes actuaciones de Dinamarca en el mundial mexicano de 1986, no hubiera salido jamás de la letárgica situación en que las Cobras lo colocaron, de no haber sido porque Bob Marley existió."

El lector comentará (al igual que el interlocutor del elocuente): Pero, ¿de qué habla este imbécil?...

La Unesco, la Secretaría de Relaciones Exteriores, el Comité Mexicano de la Nueva Canción y el gobierno del estado de Querétaro auspiciaron, entre otras organizaciones, el que se realizara del 24 al 26 de octubre de 1986 el Primer Festival Internacional y Foro por los Derechos Humanos: conferencias y mesas redondas se llevaron a cabo en el Museo Regional; conciertos en el estadio de La Corregidora.

Para nadie es un secreto que el equipo queretano perteneciente a Televisa fue más malo que la lepra y por ello, desde el primer partido hasta el último, antes de descender a segunda división y trasladarse a la fronteriza Ciudad Juárez, aburrió hasta al más lelo seguidor de sus charros colores. Luego del campeonato mundial de futbol, la única real oportunidad para que la gente se emocionara en esa cancha la dio, no el balompié, sino la música. De esta posibilidad de cimbrar la construcción bautizada en honor a la Josefa de los añorados quintos de cobre, sobresalió, por su par de intervenciones, el grupo jamaiquino —la traducción es cáliz— Chalice.

¿Y qué toca Chalice?

Pues reggae. De hecho en 1986 era el grupo más popular de reggae en su país (y eso no es fácil).

¿Y qué tocaba y cantaba y componía y difundía el difunto?...

Contéstelo el lector que irreflexivamente me (nos) tachó de imbécil(es): Si se mínimo-homenajeó a Robert Nesta Marley es porque éste se merece y mereció todo tipo de recordatorio. (Cuando Chalice tocó una de él la gente se prendió más, mucho más. Por algo sería.)

Marley fue, desde que comenzó a brillar como compositor de

184

éxitos de otros (luego suyos) como "Stir it up" (en la interpretación de Johnny Nash) o "I shot the sheriff" (cantado por Eric Clapton), y hasta su último concierto en Nueva York para concluir la gira mundial —que no pasó por México—, el mayor difusor del reggae.

Y Marley fue, con ello, promotor de algo que es una religión y una forma de concebir el mundo y una cultura libertaria y un arma de resistencia nacida en Jamaica: el *Ras Tafari*, el rastafarianismo. Claro, podemos dar más nombres.

Hace unos años tuvimos la oportunidad de ver la película *Caiga quien caiga* (*The harder they come*) en México. El director es Perry Henzell, el actor es el cantante y compositor Jimmy Cliff, la historia podría ser la de muchos de los negros protagonistas de la jamaiquina vida real de aquellos años.

Este filme, según lo dicho a quien esto escribe por su blanco director (el mes de octubre de 1986 en la ciudad de Querétaro), continúa atiborrando cines en Kingston a pesar de haberse exhibido muchas veces desde su estreno en el Teatro Caribe hace ya años (se rodó en 1972).

"La noche del estreno la exhibimos en un teatro grande en el centro de Kingston (1 500 butacas). 40 000 personas rodearon el lugar. El cine se atascó. Empezaron a gritar, a moverse, a llevar olas de gente de un lado al otro. Fue increíble. Tuvimos que pasar la película dos meses seguidos en tres teatros distintos. La gente de la calle por primera vez se veía retratada en la pantalla.

"La vida hoy en la ciudad, en Kingston —continuó Henzell— es como lo que se refleja en *Caiga quien caiga*, como lo fue en los setenta. Pero aclaro que en la ciudad hay más de una Jamaica, y así como hay tantas diferencias entre un lado y otro de la urbe, las hay entre la ciudad y el campo. Muchas comunidades viven para sí mismas: los chinos, los japoneses, los rastafarianos, la gente común y corriente que va a trabajar a su oficina, los ingleses... Lo más extraordinario ahí —y esto es una forma de debilidad a la vez que lo es de fuerza— es que cada quien es extremadamente individualista. Mucha gente cree que los jamaiquinos son egomaniacos, yo prefiero decir que son individualistas, que creen en ellos mismos."

La situación entonces, la que dio lugar hace años al desarrollo del movimiento rasta, parece no haber cambiado en Jamaica: "Rastafari es conciencia histórica de la opresión racial, es resistencia cotidiana al sistema/Babilonia, resistencia que empieza cuando el primer africano es esclavizado en América y que se enardece en las luchas cimarronas, en el parafricanismo colonialista de Marcus Garvey, en el radicalismo político de las Panteras Negras. Carmichael y Malcolm X, todos expresan en distintas formas las mismas ideas".

Ahora bien, vamos a suponer que a un preparatoriano le mandan hacer un trabajo en clase de ciencias sociales sobre este tema: "Jamaica más allá de la bahía Montego". ¿Qué fuentes va a hallar además de las letras —si llega a entender ese inglés que es el particular inglés del jamaiquino— de las canciones de Marley, Cliff, Tosh, Steel Pulse, Black Uhuru, Twinkle Brothers, los hijos de Marley, etcétera.

¿Hay alguna bibliografía en México y en castellano a la cual recurrir?

(Jimmy Cliff recomendó personalmente a quien esto escribe tomar con los dedos ese peculiar cucurucho pletórico de ganja y, acto seguido, aspirar, aspirar, aspirar, hasta que el tronadero de cocos silenciado nos pusiera a platicar directamente con Bob Marley; hasta entrar a la habitación donde todo se mira de mejor manera; hasta ponerse hasta atrás merced a la mejor mota del Caribe... pero los dados a sustentar el discurso en el método científico, no verían bien esta forma de interiorizarse, de empaparse, de saber —mucho menos un maestro de prepa—, así que pasemos a los documentos.)

La cita vertida hace unas líneas sobre lo que es el movimiento rasta, fue tomada de un artículo de la antropóloga brasileña que varios años radicó en México, Cristina Cavalcanti. Lo publicó en un libro inencontrable ya compilado por Carlos Chimal en 1984: *Crines, lecturas de rock.* Para fortuna del preparatoriano en 1994 Chimal ha sacado un segundo libro llamado *Crines, otras lecturas de rock.* Mucho del material del primero se ha retirado o ha sido sustituido, pero lo de Cavalcanti sobrevive. La editorial que lo sacó es ERA.

Supongamos que el estudiante, siguiendo la costumbre y para averiguar algo sobre el país donde nace todo este asunto, se acerca al atlas clásico. ¿Encontrará datos significativos que le hagan constatar que Henzell decía la verdad cuando hablaba de esa olla podrida, de esa mezcolanza de culturas, de esa individualidad?

"Jamaica: en la actualidad la población jamaicana está formada en su mayor parte por negros y mestizos, descendientes de los esclavos africanos traídos a la isla para sustituir a la población autóctona, los indios arawak, extinguidos durante la colonización española. La población es de 2 300 000 habitantes y el crecimiento anual de 1.5 por ciento. La religión es protestante en su mayoría. Jamaica es un Estado independiente en el ámbito del Commonwealth.

"El poder ejecutivo corresponde al primer ministro y a su gobierno. Este ordenamiento constitucional fue el que pareció más apropiado en 1962, cuando la isla alcanzó su independencia. Jamaica exporta ron, azúcar, plátano, bauxita."

El atlas (*Nueva geografía universal* de Promexa, México, 1984) trae más datos:

"No obstante, la estructura social (de la que también forman parte unas 50 000 personas de origen chino o indio, cuyo asentamiento en la isla se remonta a la época colonial), su economía fuertemente condicionada y el constante crecimiento demográfico han agravado el problema de desempleo, que afecta a la cuarta parte de la población activa, a pesar de la agricultura y de un incipiente desarrollo del turismo. Todo ello se ha traducido, por un lado, en diversos cambios de gobierno y, por otro, en una situación social que se ha hecho explosiva, con un alarmante aumento de la delincuencia."

El atlas no habla de otras exportaciones jamaiquinas: gente, por ejemplo. Londres algunas tardes, de no ser por el clima, parecería un barrio del oeste de Kingston. Sidney, en Australia, también. En menor medida Nueva York, Miami, Chicago. La búsqueda de empleo ha hecho que la ola de emigrantes no cese. Con ellos se va la música y con ellos la religión. De estas exportaciones tampoco habla el atlas. Insistamos: el reggae en los setenta le cambió el rostro al rock de los sesenta igual que al de los noventa, igual que luego al jazz, luego a la música popular de buena parte de los radios del mundo.

Algo que sí apunta el atlas es que en 1980 el Partido Nacional Popular sufrió una derrota que llevó al gobierno conservador de Edward Seaga al poder. Entre este nuevo gobierno y el de Cuba, acusado por Jamaica de intromisión en los asuntos internos del país, se produjo un estado de tirantez que culminó con la ruptura de relaciones diplomáticas. Jimmy Cliff estuvo en Cuba dando conciertos en Varadero después de esto. Su intención era, al salir, volar a México para presentarse en público: Qué opciones reales de éxito tendría una de las mayores estrellas del reggae presentándose en este país a principios de la década de los ochenta?... Nunca vino.

Antes de volver con Perry Henzell, vaya para el preparatoriano otra posible fuente. Se publicó en diciembre de 1981 en el suplemento *Sábado* del diario *Unomásuno*.

Historia impersonal del reggae

Hay muchas maneras de entrarle: tómese una pipeta, viértase en la parte superior algo de limpia y buena ganja jamaiquina, pásese el humo por agua, aspírese lenta y placenteramente, apoltrónese en el sofá más confortable, deje descansar sus blancas y lampiñas nalgas al tiempo que escucha a Bob Marley, a Peter Tosh, a Jimmy Cliff hasta el adormecimiento y dése cuenta de que está equivocado: de plano no tiene usted idea o ese afán de sofisticarlo todo le pesa demasiado...

¡Pelvis, joven, pelvis!

Jamaica no es tan sólo el agua y el mercado. El reggae no es únicamente el nuevo ritmo que viene a sustituir a Willie Colón en sus animadas fiestas de lindo progresista. ¿Recuerda usted "I Shot the Sheriff"?... De seguro se acuerda de Eric Clapton, ¿no es cierto?... El éxito de 1974 ¿verdad?... Indiscutiblemente el exmiembro de Cream es una de las cúspides del blues blanco, un guitarrista genial, un buen autor rockero... pero la pieza no es suya. Si Bob Marley no hubiera muerto hace unos meses hubiera habido más y más canciones como ésa y quizás usted no las hubiera conocido. Cante conmigo ahora que el sueño lo venció: 1... 2... 3... "Yo maté al sheriff, pero no maté al diputado uh-uh-uh".

La mota jamaiquina es estupenda. Usted no lo entendería, tan sólo déjese llevar: Jah le va a conceder la bondad del fugaz acercamiento, así que siga con los ojos internos bien abiertos; el sacramento de la ganja ha comenzado:

"Por todo mi pueblo están queriéndome agarrar, quieren hacerme culpable de la muerte de un diputado, por la vida de un diputado. Pero yo maté al sheriff y fue en defensa propia, yo maté al sheriff y ahora dicen que esto es ofensa capital".

Entre Jamaica y Etiopía hay demasiada agua. La distancia es más que una vida a nado. Pero para los rastafarianos, esos seres extraños de largos pelos crespos anudados en cientos de diminutas trenzas que está empezando a ver, no hay necesidad de mojarse. El agua salada entre Jamaica, la tierra del sufrimiento, y Etiopía, el lugar prometido, no existe si se tiene fe en Jah. Hasta hace unos años ahí estaba Ras Tafari, Haile Selassie, el emperador etiope reconocido por los seguidores del predicador negro norteamericano Marcus Garvey como el rey de reyes, la imagen de Jah en la tierra. Puedes ver el retorno de los africanos al África: Marcus Garvey habló de él hace más de 50 años. William Faulkner en tono diametralmente opuesto algo mencionó de ellos en sus novelas. Los free-jazzeros lo tocaron a trompetazos y soplidos de saxofón y los jamaiquinos hasta lo bailan: es la fe y la rebeldía del reggae lo que balancea el pelvis sexualmente. Podrías bailar noches y noches si tan sólo supieras cómo coger el ritmo, en contra-ritmo. Usted, ahí, acostado, no lo intente. Hay que saber contenerse en el momento exacto.

Moverse lentamente len-ta-men-te suave y violentamente suave-vio-len-ta-men-te. El reggae es la continencia que preconiza la explosión final y la eyaculación universal: todo junto. Ahórrese la pena ajena de comprobarlo onanista grotesco. Usted siga tranquilo. Para los rasta siempre existirá otra opción. Si los servicios de migración ingleses o norteamericanos deciden que la mano de obra jamaiquina es menos barata y más problemática que otra cualquiera (nombre usted libremente), se le echa. Es la costumbre. La vuelta a casa es constante por parte de trabajadores ilegales que se mantenían gracias a las pizcas canadienses, a los muelles británicos y las tiendas de abarrotes neoyorkinas: largas plastas de pelo, enormes gorras tejidas y, los más afortunados, un pequeño reproductor de casets y un par de mullidos y pequeños audífonos pegados a las orejas casi naturalmente. Los transistores y los jamaiquinos podrían ser directa y definitivamente proporcionales. La vida del rasta es una peregrinación jodida aunque se sabe que, en el penúltimo de los casos, habrá la oportunidad de volver al hogar: la miserable choza de Kingston del oeste, la barraca en las playas más sucias, ahí donde sólo los turistas viejos y panzones con aficiones antropológicas van a husmear; una buena cantidad de marihuana y una radio, un tocadiscos, una grabadora o lo que sea que permita oír el reggae. El reggae es el movido cimiento de la casa. Cuando llegue lo último, la vuelta al territorio prometido del rasta, en donde no haya tiempo ni miseria ni poder, bajo la protección de Jah, ahí también se escuchará reggae. Mientras tanto Edward Seaga hace negocios, el musical primer ministro en compañía de esos pocos que controlan Jamaica, se enriquecen con el reggae y lo llevan a Gran Bretaña y los Estados Unidos y Francia y Alemania, y hacen de Bob Marley un nuevo gran héroe muerto a quien cantarle himnos que suban al primer lugar del hit parade. Detrás de sus ojos los rastafarianos observan...

Volvamos ahora sí con Perry Henzell:

—¿Cuál fue la reacción en los círculos políticos cuando se exhibió *Caiga quien caiga*?

—Podría decir que todos los políticos que entraron en contacto con la película la apoyaron. No sé. Mi idea es que todos sintieron (tanto Manley que acababa de entrar en el poder como Seaga después) que era un *más* para Jamaica. Yo no creo que puedas pensar en películas o en música en términos puramente políticos. Yo creo que un artista debe ser invulnerable a presiones políticas de la misma manera que un sacerdote. No puedes responder a las necesidades de los políticos, como cualquiera que está buscando en fuentes superiores, no puede responder al poder temporal... tú sabes.

—Pero los políticos responden ante las reacciones del pueblo y tú hiciste algo que hacía reaccionar al pueblo jamaiquino.

—Mira, la masa jamaiquina, la masa en Kingston, no ha tenido, al menos en este siglo, sujeción. Si la masa está en las calles, sólo tiene que gruñir y todo el mundo se echa para atrás. Nadie se atrevería a dispararle. Se crearía tal ferocidad que acabaría haciéndolo todo pedazos. Los políticos saben hasta dónde llegar y no más allá.

Ningún político jamaiquino le diría a un cantante, a un compositor, qué cantar o qué hacer. Pueden retirarlos de la radio controlada por ellos, pero no pueden impedir que pongan su música en una sinfonola. No pueden impedir que hablen o toquen para la multitud. Creo que los niveles de la represión en Latinoamérica no tienen nada que ver con lo que acontece en Jamaica. Lo que no quiere decir que no tengamos que estar atentos y dejar de ser quizás tan complacientes.

—¿Entonces tú dirías que no hay diferencia sustancial entre los gobiernos de Manley y Seaga?

—Creo que el problema con ambas personas es que son muy egomaniacos. Michael es más jugador de conjunto que Eddie. Este tiene un plan, lo lleva a cabo y ya. Ahora, ambos tienen que sujetarse a direcciones. Si los jamaiquinos no estamos satisfechos con ellos, los echamos. Y lo saben. Creo que los dos están luchando contra un sistema de intercambio, contra un sistema económico que es tan opresivo a nivel mundial, que los ha derrotado. Ambos son perdedores.

Al político en Jamaica no se le tiene en demasiada buena estima. No pensamos en ellos como en alguien que tiene poder definitorio. No han sido capaces de actuar y de dar soluciones. Cada cosa que compran es más y más cara y cada cosa que venden es más y más barata. Los políticos pueden decir lo que quieran, pero a menos que la ecuación cambie, dudo que tengan éxito.

Las cosas deben cambiar a nivel político y se van dando con gente como Alfonsín, con Alan García, con la gente que está juntándose para hacer un grupo de negociación. Pero nada cambiará sino hasta que recibamos más dinero por lo que vendemos y hallemos la manera de comprar más barato.

—¿Perteneces a algún partido político?

—No. Mi política se resumiría en "agua para el campesino y libertad de expresión". No importa quién esté en el poder, ésos son los dos objetivos que persigo. Fuera de eso no me importa quién sea la autoridad mientras no se torne represiva o se quede demasiado tiempo en el poder o no sirva. En Jamaica el gobierno parece cambiar cada dos periodos. La gente les da la oportunidad para hacer algo y si fallan, se van a la oposición. Quizás sea necesario hacer una tercera voz política.

Pienso que tanto comunismo como capitalismo son represivos. Creo que la libre empresa y el capitalismo monopólico se relacionan, así como Moscú y los sindicatos libres polacos lo hacen, pero esa relación que se da en la teoría respetuosamente, en la práctica no existe.

—¿Ha sido exhibida en alguna nación socialista *Caiga quien caiga*?

—No. La llevé a Cuba lleno de esperanzas en los años setenta. Fui con los cubanos y les dije que quería exhibir el filme. Dijeron que sí, que me darían 1 000 dólares. Contesté que no, que quería 50 por ciento de la recuperación. Dijeron que no que porque no había divisas. Pedí que no me dieran dinero, que me dieran queso, vino, cosas así que en esos días no encontrabas en Jamaica y que yo me llevaría para vender. Entonces contestaron que no. Que ellos trataban entre gobiernos y no con individuos. Llegados a ese punto perdí el control y terminé con la reunión. Estaba decepcionado. ¿Cómo no podían tratar con el artista como un individuo?... Quizás las cosas hayan cambiado en Cuba. En mi opinión que la revolución cubana es una revolución grande y válida. Estuve ahí en 1959.

Ahora creo que es una perfecta ilustración de lo que he dicho. La gente que no ha tenido libertad parece no saber qué tan lejos se puede con ella. Ya tiraron a Batista, entonces hay que ir más lejos con la libertad, mucho más lejos: libres del todo. Pero por alguna extraordinaria razón parecen retrotraerse. Ahora tanto los capitalistas monopólicos como los comunistas monopólicos no respetan, no reconocen los derechos del individuo, del artista individual.

—¿Tú te definirías como anarquista?

—Bueno, anarquista es una palabra con una gran carga. Porque el anarquista ha sido asociado con caos, con derramamiento de sangre. Desde mi punto de vista eso no es anarquismo. Creo en un reducidísimo papel del gobierno. Pienso que la gente podría funcionar diez veces mejor por sí misma sin el control del gobierno. Ve el ejemplo de Jamaica: al pequeño campesino trabajando su tierra para su gente, su familia, fumando su mota, tranquilo. ¿Qué tiene que ver con el gobierno? ¿Qué tiene que ver el gobierno con él? Así las cosas sí simpatizo con el anarquismo. Mientras menos gobierno, mejor. Mientras menos gente diciendo qué hacer, mejor.

El gobierno debe arreglar las carreteras, abastecer el agua y recoger la basura. La mayor parte de las veces ni eso hace. Si tuviera que escoger entre vivir sin ningún gobierno o vivir con un gobierno que lo controle todo, escogería lo primero. Los rastafarianos tienen una excelente palabra para definir el fenómeno: Babilonia. Y Babilonia es el poder central, la autoridad que quiere ejercer control sobre la demás gente, con cualquier excusa pretenderán ejercer ese control hasta el fondo. Es como la Iglesia que demanda saber qué estás pensando. Y demandan el derecho de decirte qué pensar. Eso es Babilonia. Babilonia se da, según los rastafarianos, porque en aquel lugar entre el Tigris y el Éufrates ya no hubo más necesidad de ser nómadas. La tierra daba para todos. Pero se empezó a construir y se dieron las jerarquías y surgió la burocracia y el poder central y Babilonia fracasó. Y Babilonia fracasará nuevamente, según los rastas. Yo lo creo. Ahora el poder central tiene la brillante idea de que con el armamentismo nuclear puede tener a todos controlados porque si no hace explotar el mundo y se acabó. El poder corrompe. El poder absoluto corrompe absolutamente.

En esta calurosa tarde de noviembre de 1981, Jimmy Cliff sienta sus 33 de edad sobre un sofá al centro de la sala del bungalow que las autoridades cubanas le han asignado en Varadero. Todos los músicos jamaiquinos han traído a la familia. Los rastas son sus grupos y los individuos que conducen a los grupos. Sentado frente a él, luego de la primera bocanada y de poner a funcionar la grabadora, pregunto por Bob Marley. Algo así como si él se considera ante su muerte el digno sucesor.

Antes de la respuesta, una gran fumarola que a cualquier tira ya socialista ya capitalista le serviría para entrar en violenta acción con la excusa de las amenazas a la paz social, invade generosa y sutilmente el territorio (además de las familias, cualquier rasta que se respete va a todas partes cargado de una buena cantidad de *ganja* de excelente calidad y efectos que no duda en compartir): "Bob Marley no ha muerto. Bob está aquí (yo me vuelvo, lo busco, casi podría jurar haberlo visto saludarme, pero un súbito golpe de conciencia me devuelve aquel mayo hace ya meses). Bob está aquí en nuestra música, en la que hacemos todos. Él continúa aquí aunque ahora está más cercano a Jah (Dios) que nosotros. A Bob lo llevamos con nuestra música a todas partes. En ella llevamos a Jah también".

La frase puede sonar trillada, pero Cliff y sus músicos parecían creerlo a pie juntillas. Seguramente ahora que alguien, por robarle sus pertenencias, ha dado muerte física a Peter Tosh en Kingston (septiembre 11, 1987); ahora que un discretísimo cable lo anunció al mundo, Cliff y los demás dirán que no importa. La música y el espíritu siguen ahí. Bob Marley y Peter Tosh pueden reunirse como en los viejos Wailers del exitoso "No woman no cry". Atrás quedan las acusaciones de excesiva comercialización que el segundo le propinó al primero al separarse. Atrás quedarán probablemente las acusaciones que otros exponentes del reggae han recibido en ese tenor desde entonces. Cuánto falso rasta pulula por ahí haciéndonos saber que la comercialización todo lo corrompe... El cantante de Chalice algo opinará al respecto; también Henzell. Pero antes de ir con ellos insértese el lector de nueva cuenta en el asunto de la bibliografía: ¿Qué más se puede encontrar en México escrito en castellano sobre el reggae, sobre los rastas?

Perry Henzell mencionó las sinfonolas, esas grandes madres dadoras de verdad por una moneda. Existe un escrito que habla de la importancia de estas máquinas en Kingston; que habla también de la importancia de los sonideros y de los transistores. Lo hallará el lector en una antología preparada por Paul Scanlon con varios artículos aparecidos originalmente en la estadunidense revista *Rolling Stone*. La editorial Anagrama los tradujo y publicó en España y desde ahí llega a México para expenderse a un elevado costo. El artículo al que hacemos referencia se llama "El lado salvaje del paraíso: al ritmo de los cafres de la calle, los rastas y el reggae" y fue escrito por Michael Thomas. Más de una década ha transcurrido desde que el escritor australiano plasmó este panorama.

Basándose en Thomas, Dick Hebdige escribió "Reggae, rastas y ruddies", artículo que extrañamente viene contenido en un libro que en 1986 fue reimpreso en México por el Fondo de Cultura Económica bajo el título de *Sociedad y comunicación de masas*. Los compiladores son James Curran, Michael Gurevitch y Janet Woollacott.

No hay mucho más, y lo que hay, bueno o malo, escrito en castellano, no llega fácilmente y se conoce poco.

En España fueron editadas unas cuantas biografías sobre Bob Marley. La escrita por Jesús Ordovás y publicada en Júcar en 1980, contiene fotos, discografía, traducción de canciones y vocabulario. Este libro, que hasta hace unos años, era barata y fácilmente conseguible en México, nos deja encontrar algunas referencias al otro *wailer*, a Peter Tosh, uno más en la lista de músicos jamaiquinos asesinados porque al parecer —y por lo que puede desprenderse de acuerdo con José Alfredo Jiménez luego fusilado por Pablo Milanés— la vida no vale nada (la material):

"Pero el auténtico tipo duro de los Wailers era Peter Tosh, que alardeaba de serlo en sus canciones: 'Soy una navaja andante, si

194

quieres vivir trátame bien porque soy peligroso; ten cuidado cuando pases a mi lado porque soy una navaja andante' ".

Tosh debería de estar cumpliendo en octubre de 1987, 43 años. Su radicalismo siempre estuvo presente en composiciones y discos como *La marca de la bestia*, *Equal Rights* y *Legalize it*. En *Derechos iguales* sigue, rabioso rastafariano pues, con el dedo en el renglón: "África es el hogar de los negros y no debe existir ahí la opresión racial. Ni ahí ni en ningún lugar del mundo".

Ordovás intenta resumir su carrera así: "Peter Tosh (al separarse de los Wailers) seguiría su propio camino en solitario, pasando de vez en cuando por la cárcel por su descaro a la hora de darle al toque, hasta hacerse también un nombre a nivel internacional gracias a la ayuda de los Rolling Stones".

Algo que molestaba a Tosh era —los negros hacedores de blues y jazz lo saben— que muy pronto la música ya no pertenecía a sus creadores y venía fácilmente la prostitución. El negocio comenzaba a generar ganancias sólo a los usurpadores blancos. ¿Qué pensaba Peter de Police, de UB40, de Men at Work o The Cash? ¿Qué opinaría realmente de los Rolling Stones, los que le tendieron la mano y lo llevaron a grabar con ellos en su compañía, y de sus intentos por hacer algo del lado del reggae? ¿Qué pensaría en el fondo de su colaboración discográfica con Bob Dylan y Joe Cocker?

Al no ser posible preguntárselo a Tosh, vaya el lector de nueva cuenta con Henzell:

¿Qué piensas que en nuestros días sucede con el reggae, ahora que no son sólo los jamaiquinos quienes lo hacen, que no son rastafarianos los que lo tocan, ahora que es una cosa comercial, ahora que Marley ha muerto y Jimmy Cliff trabaja con gente como Linda Ronstadt o Elvis Costello, ahora que el reggae no es más ese algo único original y auténticamente jamaiquino con el —según palabras de Paul McCartney— *beat* invertido?

—Pienso que Jamaica culturalmente es una conexión, un punto de encuentro, que da voz para que la gente se exprese con el reggae, con el soca, con cualquier género musical. No creo que muera el reggae, sólo cambiará. No soy un purista. Si algo me mueve emocionalmente no digo "esto no me debe mover la emoción porque viene de ahí o de esa capa social o de ese país. Me mueve y ya".

¿Qué opinaría Tosh de que alguien en lugar de preguntarle a él o a los hacedores del reggae fuera a indagar la opinión de un blanco director de cine jamaiquino?...

Al terminar el segundo concierto de la Corregidora, Trevor Roper, guitarrista, cantante, el hombre del bombín en el escenario y fundador de Chalice, hace claro que no quiere dar entrevistas. La necedad de quien esto escribe, no obstante, acabó por vencerlo:

—El reggae ha cambiado. Ha variado desde lo que hacía gente en sus principios como Marley, Tosh, Cliff, Toots and the Maytals. Lo que ustedes tocaron esta noche aquí en Querétaro poco tiene que ver con aquello. Quizás fue el grupo Black Uhuru que incorporó cuestiones técnicas, manejo del sonido en el estudio, efectos, la frontera entre aquel reggae más crudo, más pesado, y éste, el de hoy. ¿Tu qué crees?

—Mira, en Chalice somos seis músicos. Nuestros patrones musicales, influencias, escuelas, son diferentes. Lo que intentamos crear es un amplio rango de fusión musical basado en el reggae. Todo cambia con el tiempo. La música también. Queremos que el reggae llegue a todo el mundo. Para ello le damos un poco de rock, de soul, de jazz, de disco incluso.

—¿Y no crees que el mensaje original se pierde?

—No, porque es más fácil ser aceptado si la gente identifica algo suyo en lo que haces. Si a alguna gente le tocas un reggae muy duro quizás no lo entiendan. Hay mucho que comprender. Si tú les eliminas cosas con las cuales pueden distraerse, facilitas que entiendan tu música. Ya después puedes tocar algo más duro y con mayor pureza. El reggae no se puede clasificar exclusivamente como música de protesta. Cuando se le canta no se puede dejar de escuchar sus letras, eso sí. Quizás por ello otros músicos han atendido al reggae; para poder expresarse. El reggae es más directo, más crudo, te lleva al trance, a la comunión, es la música del cuerpo y del espíritu.

—Trevor Roper, Chalice, Third World, Steelpulse, forman parte de otra generación del reggae, la que surge en los setenta. La que en su música ha incorporado con el bajo, la guitarra y la batería instrumentos tan sofisticados como los sintetizadores, sistemas de efectos sonoros, computadoras, percusiones electrónicas, etcétera.

196

Chalice se fundó en 1979. Sus primeros conciertos fueron en 1980. Por esos años Marley todavía daba la vuelta al mundo difundiendo el reggae y el rastafarianismo.

—¿Qué opinas de él?

—Bob Marley era un excelente difusor de mensajes. Sabía cómo utilizar las metáforas y tú podías entrar en sus letras y leerlas, entenderlas realmente. Como un poeta profético, no dijo nada mal. Extendió el mensaje y lo predicó con el ejemplo.

—¿Tú eres rasta?

—No, pero respeto mucho a los verdaderos rastas. Creo en su filosofía. Nadie en Chalice es rasta. Hay mucha gente que por razones comerciales ha tomado el aspecto de los rastafarianos. Usan el pelo largo ensortijado, anudado como ellos. En Jamaica encuentras músicos que son falsos rastas. No te voy a dar nombres, pero creo que es fácil identificarlos también en Europa y los Estados Unidos. Oportunistas... Ahora, déjame aclararte algo: el reggae no es únicamente la música de las rastas. El reggae es la música de Jamaica.

—¿Qué opinas de la película *Caiga quien caiga* de Perry Henzel?

—¡Ah, la película de Jimmy Cliff! —aclara Roper. Creo que es arrebatadora, sobresaliente. La siguen exhibiendo en Jamaica. Bueno, últimamente no ha pasado, pero de seguro vendrá y el cine estará lleno. Según los críticos es el mejor filme jamaiquino.

—¿Sigue siendo un buen retrato de la realidad social jamaiquina?

—Bueno, no en algunos aspectos. Por ejemplo la situación de la producción de discos (el personaje que interpreta Jimmy Cliff va a Kingston para probar suerte grabando) ha cambiado. Antes llegabas con un productor y le mostrabas tu canción y si te recibía y le gustaba te daba 20 dólares y te decía adiós. Ahora ya el trato con el productor implica un contrato. Es más legal. La gente se ha dado mejor cuenta de lo que es el negocio de los discos. Hay tres o cuatro grandes sellos discográficos en Jamaica. Ahí se producen los sencillos que entran a la radio. Hay dos grandes termómetros, dos estaciones de radio que tienen sus tablas de los 40 mejores éxitos. Todo es muy movible, pero todo es reggae. Nosotros, por ejemplo, Chalice, llevamos ocho semanas en el primer lugar.

—La situación socioeconómica que se refleja en *Caiga quien caiga* (el exitoso cantante se rebela contra el sistema, la maquinaria de la represión echa a andar, el pueblo apoya a un miserable que era, es, igual que ellos: alguien que supo agarrar su oportunidad pero que no los olvida) es, quince años más tarde, similar.

—Bueno, ha evolucionado un poco en lo material. Pero hay una cierta mentalidad que hace que la gente no aspire a más o tenga mayores metas. Viven mejor, quizás, en mejores casas... en fin.

—¿Tiene algo que ver el cambio de gobierno, el papel de Seaga, de Manley en el mejoramiento, en esa mentalidad?

—Tengo como regla jamás discutir cuestiones políticas. Sé que tengo derecho como ciudadano jamaiquino, pero nunca he votado. Soy un perfeccionista. Quiero tener un mismo nivel todo el tiempo. No fumo, no bebo, no como carne. Tengo mi personal filosofía. Si yo fuera a votar por X y éste engañara a la gente sería en parte mi responsabilidad. No importaría quién más votó por él. Yo lo consideraría mi culpa. Prefiero no votar. No lo he hecho en mis 33 años de vida, no tengo por qué hacerlo ahora. Como dije, tengo mi personal filosofía y respeto a los otros y busco paz.

—Cuando hablas de no fumar ¿incluyes ahí la ganja?

—Sí. Yo no fumo. Para los rastas sí es muy importante la ganja. Es parte de su ceremonia religiosa, una parte íntima del rito. Es como el incienso y el vino en otras religiones. El toque es como el cáliz. Para el religioso católico el cáliz se llena de vino, para el religioso rasta se pasa el toque alrededor. Es un acto de comunión. Nosotros por eso nos llamamos Chalice. Representa amor, entendimiento, armonía. Lo que la ganja para el rasta. La biblia en Jamaica es usada e interpretada de diversas maneras. Hay muchas religiones: metodistas, revitalistas, rastas, pocomaniacos, evangelistas, católicos. Hay mucha gente y muchos modos de pensar. Cáliz toca para todos. A todos queremos llevarles el mensaje, aunque no entiendan nuestro idioma. Como en Turquía, en Cuba, en Colombia, donde tocamos recientemente. O aquí en México. Ahora vamos a ir a Japón y África.

Chalice volvió a México. Sacó discos aquí y los promocionó en una gira que se anunció como nacional. Otros grupos jamaiquinos de reggae estuvieron en los ochenta y los noventa en este país. Esta música no sólo influyó a algunos creadores a la hora de componer, sino que nacieron grupos mexicanos de reggae (Splash, Los Yerberos, Puré de niña, etcétera).

En 1994 un festival de este género se celebró en el Caribe mexicano; incluso se difundió por televisión días después. Uno más se dio en la ciudad de México meses más tarde. Empero, aunque las apariencias puedan hacer pensar otra cosa, el panorama para el reggae en México no es muy prometedor. En otro espacio habría que ocuparse de analizar sus reales perspectivas. Volvamos nosotros por ahora con la mentada bibliografía de la cual, como ya se mencionó, no hay mucha tela donde cortar. Algunas entrevistas en periódicos, traducciones en revistas independientes de poco tiraje y menor distribución (Sergio Monsalvo publicó en la ciudad de México en 1993 100 ejemplares de la revista *Corriente Alterna* sobre reggae; la zacatecana *Dos Filos* ha sacado algunos artículos sobre esta música y sus exponentes), notas aisladas en estudios como el de John Storm Roberts llamado "La música negra afroamericana", publicado en Argentina por Editorial Víctor Lerú; Ulises Santamaría complementa el poco nutrido panorama con un interesante artículo introductorio publicado por la revista barcelonesa *El Viejo Topo* y traducido por Paloma Villegas. Se trata de "Los rastas: profetas del presente". Apareció en el número extra 14 llamado *Volver, volver*. Del tiraje, en esa ocasión de 37 000 ejemplares, poco se conoció en México...

Acaso este escrito, que apareció en una primera y sintética versión en el suplemento de la revista *Siempre!* del 19 de noviembre de 1987 con las pláticas con Cliff, con Roper, con Hanzell, le sirvan de algo al preparatoriano que quiere hacer su trabajo? ¿Acaso no?...

Termine el lector con Henzell, pero antes atienda lo que Thomas escribió al respecto: "Lo que Henzell estaba tratando de hacer era contar una historia verista que dignificara la identidad del jamaicano de la calle y expusiera la cruel indiferencia a la que ha de enfrentarse constantemente".

—¿No fue difícil —le pregunté al director— entrar a Kingston del oeste a filmar *Caiga quien caiga* con actores tomados de la vida real, con un cantante como protagonista y sin profesionales de la actuación?

—Yo creo que todo depende de tu actitud. Kingston es ciertamente un lugar violento, pero yo puedo tomar un carro e ir adonde me plazca sin problemas. Conmigo sintieron que yo estaba ahí para llevar su mensaje de una manera honesta al mundo. Por eso cooperaron. Amo la cultura jamaiquina. Amo la cultura rastafari como parte de aquélla. Como religión es maravillosa. No ha tenido tiempo para hacer iglesias y tener sacerdotes y códigos de comportamiento opresivos. Se basa simplemente en una comunicación directa con Dios. Ésa es también mi idea de la religión. Tú sabes: Dios no es arrodillarte y mascullar tonterías que alguien te ha ordenado repetir. Es más abrir tu mente y recibir lo que llega si es que abres en realidad tu mente. Mucho de los rastas está ahí. Eso es lo que predican los rastafarianos en su música. Lo que predicaba Bob Marley.

—¿Cómo era Bob Marley?

—Bueno, él era un profeta que también quería estar entre los diez mejores de las listas de popularidad.

El 11 de mayo de 1987 se realizó un programa de radio en Zacatecas; probablemente un mínimo homenaje a Bob Marley, al reggae, a sus exponentes, a los rastas, a la particular forma de lucha libertaria jamaiquina en este siglo, a los actores de *Caiga quien caiga*, a la simple y rica complejidad de la cultura de Jamaica. El merecido recordatorio de Eric Burdon, nacido el 11 de mayo de 1941 para deleitar al personal sesentero con rolas como "Noches de San Francisco" y "Derrama el vino", puede aguardar al año que entra.

LAS PIEDRAS A TRES CAÍDAS

I. Del códice de las rodantes piedras

(Este texto lleva abajo el balazo: toda la verdad sobre los Rolling Stones en México).

Día de muertos de 1994

¿Cuánta dinamita se requiere para hacer estallar lava que desde hace siglos inerte descansa como piedra sobre piedra al sur de la ciudad de México?

¿Cuántas piedras rodantes viajarían de su viejo rincón del Pedregal buscando otro acomodo?

¿Lo que el Xitle dispuso en su momento, podría moverlo ese fenómeno de masas que al concluir los cincuenta de este siglo comenzó a movilizar al mundo?...

No, parece que no. No por ahora.

El viejo volcán de la delegación de Tlalpan puede quedar tranquilo.

Lo que hacia el 400 antes de nuestra era cimentó, puede permanecer, si no indemne, al menos no destruido por explosivos creados por mano del hombre.

Las piedras rodantes reservan su presencia no en el sur de Cuicuilco sino en el oriente de Iztacalco: la casa de la sal de los viejos mexicas. Sin embargo, para que sucediera, personas de Cuicuilco y de Copilco y de Chapultepec, del núcleo mismo de la gran Tenochtitlan, tuvieron que ponerse a negociar, a convencer y a ser convencidos.

Platiquemos la historia que algún día pueda ser quizás sólo leyenda o vana fumarola, pasado lo que pronto —se anuncia para enero cinco años antes del arribo de un siglo y un milenio completamente nuevos— tendrá que acontecer.

Sé advertido lector que pasarán por aquí, protagonistas, desde el Tlatoani que hoy brilla en su ocaso de águila que cae, al emergente líder que habrá de sustituirlo. Con ellos sus ministros y sus embajadores, los encargados de la conversación, la asamblea de ancianos y el jefe del Calmecac y, sin lugar a dudas, los pochtecas, los mercaderes que todo lo vendían y lo querían comprar (comerciantes de ruidos y colores llamó Bernal Díaz a quienes expendían aves canoras y paradisiacas en aquel tianguis tlatelolca).

¿Dónde será finalmente el fenómeno de las piedras que ruedan?...

¿Permitirán los omnipotentes dioses que suceda?...

¿Qué sucedió y qué sucederá?...

¿Los vientos que tempestades al sur presagian ya podrían detener en su carrera a las pesadas rocas?

¿Quedaría algo ante la devastadora inercia?

¿Será?...

Demos inicio:

Éste es el pergamino que da cuenta de los días en que nadie quería ocuparse, nadie quería enfrentar, nadie quería quedarse con las posibles culpas ni darle a otro el crédito del triunfo si es que algo semejante acaeciera. Todo parecía ser un enorme vacío. El vacío que se siente cuando el dios del Mictlán recibe en sus dominios a los viejos señores y las luces de la naciente Venus no iluminan con fuerza todavía. No al menos la fuerza del poder que busca detentar cuanto antes quien recién ha tomado las riendas de este amplio territorio con todos los miles de pueblos diferentes que lo habitan. Todo se asemejaba al agujero negro descubierto por los astrónomos hace algunos ayeres solamente: energía, energía equivocada, pero energía otra vez.

Heriberto dejó las cuartillas de papel revolución sobre su escritorio poblado de cuartillas de papel revolución aguardando su turno. Acto seguido, levantó la vista y miró, tras las gafas, los expectantes ojos del joven reportero Santos Escobar.

—¿Y esto: qué chingados es?...

—Es la entrada del reportaje de los Estones.

—Pedro, ¿adónde quieres llegar?

—¿Cómo adónde? —Santos mudó un poco la mirada. No hubiera querido esa reacción, esas preguntas. Buscaba una palabra de ánimo, un espaldarazo. Eso hubiera sido suficiente para entender que lo que estaba haciendo iba al tiro. Sabía que Heriberto no acostumbraba ser muy expresivo y menos con los jóvenes. "No hay peor pendejada que darle alas a quien quiere volar como estrenando el aire" sabía que era la frase predilecta del editor para referirse a gente de su edad.

—Sí. ¿Adónde? ¿Qué tiene que ver? ¿En dónde está lo sólido para que le hinque el diente?

—Pero es que ésta es otra manera de tratar el asunto. Otra forma de entrarle. Todo el mundo está hablando de los Rolling, todo el mundo dice lo mismo, que si "los rucanroleros" más potentes, que si los abuelos de sí mismos...

—Pero tú aquí no estás hablando de un carajo. O qué, ¿esperas que el lector se quede contigo por la belleza de tu prosa? Esto es una revista mano, no una pinche novela. Y yo necesito un reportero, no al manco de Lepanto que a fin de cuentas era puto... Si no puedes con la orden mejor vete a entrevistar a César Costa. Puede ser más tranquilo.

—Pero es que ahí está todo el asunto maestro. Es cosa de saber leerlo. El concierto de los Rolling iba a ser en el estadio de los Pumas, en el mero México 68 de la UNAM y no como ahora dicen que en el autódromo...

—¿Qué?

—Lo que te digo. Y tenían que meterle dinamita a la piedra para que cupieran los tráilers del equipo. ¿Y sabes quién iba a pagar todo? Los propios Rolling que se encapricharon porque les gustó el lugar y ofrecieron hartas libras esterlinas. Y las cosas llegaron hasta Salinas y Zedillo y la gente de la compañía que los trae. Nada más les faltó comprar la universidad con todo y autonomía y sustituir a los viejos Ángeles del Infierno californianos con porros locales.

—Pues entonces dilo así, pendejo. ¿Qué no ves que ahí tienes una perlita en bruto? Entrevístate al rector, al regente, al responsable del proyecto arquitectónico, a un especialista en mecánica de suelos, al mero mero de los vecinos del Pedregal, al director de la empresa o habla por teléfono con uno de esos pinches vejetes greñudos. Cualquiera, hasta el presidente, y no estas mamadas de poeta que en el aire las compone. Y si te mandan a la verga hazte una pinche nota de color, que ésas sí te salen. Nada más me avisas para encargarle a otro la chamba.

Heriberto le aventó las hojas y le repitió el plazo. Tenía que trabajar todo el fin de semana y llegar el lunes con algo comprobable para aguantarle el cierre o con lo otro. Sin excusa.

A punto de llegar a la puerta Santos escuchó una voz diciéndole: "Y ya que estás tan cultito, averíguate quién es Pierre Trudeau cuate, léete al maestro León Portilla y no andes haciéndote el güey con los agujeros negros. No te vaya gustando demasiado el tema y luego lo andes repartiendo... Además fecha tus notas bien y, por cierto, no me andes sugiriendo los balazos si no quieres que yo te sugiera dónde meterte el dedo ahora que te corra".

En ocasiones Heriberto podía ser insoportablemente ofensivo. Santos, con rumbo a su escritorio, gustosamente lo hubiera mandado a chingar a su madre de un portazo, pero sabía que no podía hacerlo. No sólo por el miserable salario o por la oportunidad, de pronto, de estar cerca de la acción ahora que ya había conciertos de rock en México. Había más. Heriberto con su vieja escuela de humíllate que yo ya me humillé y su mamonería de cincuentón pero que se cree no tan ruco aún, le daba chance de aprender. No que le enseñara. No. Era simplemente que todo el tiempo había que intentar saber más para darle en la madre. Ningún sueño más acariciado que mirarlo humillado con su mugrosa gabardina de Dick Tracy de Texcoco y la cola entre las patas saliendo despedido de su oficina. Ninguno mejor que mirarse entrando para poner orden y dar a esa publicación la modernidad pretendida que ese viejo casposo con sus casets de Vicky Carr no sabía cómo. Ni modo. No había mucho pedo. Se trataba de escribir un artículo más sobre los pinches Rolling Stones en México... ¿O aceptaría una entrevista Salinas para hablar de Jagger? ¿El regente, el rector? Ahí, frente a él, estaba o el futuro o la continuidad de su presente. La elección del aparato determinaría por dónde: teléfono o máquina de escribir...

No pasó demasiado tiempo. La verdad: ¡qué güeva! De todos modos ya se había anunciado que los Rolling Stones tocarían en la Magdalena y lo demás hubiera parecido indagación de calenturiento. Ya sería para la otra. Por lo pronto ahí, frente a él, estaba la hoja en blanco .... Ahora que caerán los Rolinstopas...

II. ¿Cómo que no sabes quiénes son?

Ahora que caerán los Rolinstopas, sobrevivientes de los Birotes por acá, no faltará el yuppie imberbe que atreva un comentario parecido a los escuchados aquella vez cuando paul McCartney nos hizo el favorcito:

"¡Uf, qué buen fusil de la de Guns and Roses se avienta este ruco!"...

"¿Pues que no es éste el del video de Michael Jackson?"...

"Oye, ¿sabías que antes tocaba en los Beatles?"...

Y no faltará el rockero de los buenos —esos que tienen 20 menos que Mick Jagger y que el presidente saliente de México que bien que se fotografió con Michael Jackson, pero también 20 años más que el joven trepador— que se le quiera abalanzar violentamente al rotito baboso. Previendo este tipo de situaciones, pongo a la consideración del lector (y de la empresa que traerá al viejo cuarteto —recordemos que Bill Wyman ya no está— el siguiente menú (primero de varios posibles) de lugares comunes: contiene algo de lo que cualquiera debe saber de los Rolling Stones para no pasar por el mundo por pendejo y andar alebrestando al personal intolerante. En una de ésas le sirve al primero para apantallar a su apantallable acompañante y quiera la empresa comprármelo para repartir por unas monedas a la entrada del autódromo a la persona que tenga la facha de requerirlo y así facilitar a ese asistente temas para la conversación en lo que llega el momento crucial de extraer del bolsillo el encendedor (desde luego no para encender la bacha sino para menearlo a la hora de "Out of Tears" o en una de ésas "Angie"):

—Si 1968 es importante es porque salió en noviembre, hace hoy 26 años, el esperado *Beggar's Banquet*. En ese elepé —eso que había antes de los compactos y que sonaban horrible— venía el éxito aquel de "Simpatía por el diablo" (aunque la verdad la traducción tendría que ser algo como lástima pero ya ves cómo dicen que eran de nacuarros los locutores de radio entonces que no sabían inglés y hablaban de oídas).

—Sí, es la que estaban cantando una vez en California cuando unos acelerados mataron a un fulano. El lugar es Altamont y los gruesos eran los Hell Angels, los de las motos Harley Davison y el olor a sudor. Desde entonces ya no la quisieron tocar en público. Al menos no en los siguientes seis años.

—Claro que han venido antes. Estuvieron para filmar su video de "Under Cover" porque quién sabe qué pensarían que aquí daba la pala de terrorismo, guerrilla y esas cosas. Han estado en Vallarta y Acapulco, en Baja y creo Cancún pero no tocando. México siempre les ha llamado la atención. Ya ves que en "Mean Disposition" hablan del Álamo —ése de Santana pero no Carlos... sí, el de por el paseo del río allá en San Antonio— y además toca con ellos el acordeonista norteño ése de los Texas Tornados: el Flaco Jiménez.

—Cuando estrenaron un satélite que se llamaba El pájaro madrugador tocaron Los Beatles y a la hora de los coros aparece Mick Jagger, el cantante de los Rolling y el que salió bailando y cantando con David Bowie en el video de "Dancing in the streets" cuando Live Aid. Las dos veces se vio en todas las teles.

—En todo caso si alguien se fusila a alguien no es ellos a Aerosmith...

—El bajista no es el original. Este negro tocó con Sting y con un jazzista que se murió que se llamaba Miles Davis. El bajista otro escribió un libro sobre los Rolling Stones y ya está muy viejito para andar rolando.

—En 1969 se les murió un integrante, Brian Jones, y hace poco murió el pianista Nicky Hopkins que siempre tocó con ellos. No faltó quien hablara del demonio en ambos casos.

—En aquel entonces, 1971, pensaron que era muy grueso sacar un disco con un zipper que se bajaba en un pantalón de hombre. Para colmo le pusieron "Dedos pegajosos". Pues cómo no...

—Hubo una rola de las viejas que usaron en la tele para anunciar la marranilla esa del Vergel. Ésa, la de "Píntalo de negro", "Brown Sugar", "Honky Tonk", "Satisfacción", "Start me up", en fin, no sé, muchas. Imagínate: Jagger y Richard llevan juntos desde 1960 tocando blues y luego rock, así que no te podría decir cuál es mi favorita. El caso es que, como dijeron ellos en 1974, es sólo rocanrol pero me gusta...

III. Los Rolling, Cortés y el hielo (trozos de video para editar)

Kevin Kerslake dirigió el video que hacia mitad de 1995 se comenzó a proyectar en los canales de MTV. Puedes mirar a los Rolling

Stones, grupo inglés de rock surgido 40 años antes de terminarse el milenio y cuyos integrantes nacieron siglos después de construido el templo de San Lázaro en la ciudad de México. La canción es "I'll go wild" y pertenece al disco *Voodoo Lounge*. Vudú, ¿qué?, preguntaría el gendarme Azael Martínez que presenció cómo la tristemente célebre "Banda del Automóvil Gris" fue fusilada muchos años antes de que Jagger, Richards, Wood, Watts y un exjazzista negro dominador del bajo se acercaran a aquel último paraje en tierra firme donde Hernán Cortés mandó construir atarazanas en el siglo XVI. Cerca de donde cayó uno de los cuerpos de los forajidos esperando ya solamente el tiro de gracia, cayó el estuche del instrumento del que vendría a sustituir a Bill Wyman en el grupo británico que en enero finalmente tocó en México en lo que vino a ser el último show rockero del salinismo. De la sangre derramada y de los muertos malandrines posporfirianos quedó una película, varias crónicas y algunos datos nebulosos pero citables a la hora de hablar de las particularidades históricas de la ciudad de México. Éstas en contubernio con las arbitrarias combinaciones del destino y las malformaciones congénitas de algún burócrata en el poder, permitieron que donde alguna vez hubo bergantines y más tarde frailes, leprosos y un popular crucifijo baleado, se instalara por años una fábrica de hielo. Si el espectador atento se fija en el video y no se clava únicamente en Jagger, Richards o el par de perros que fugazmente muestran sus cuerpos igual que la encopetada dama cuasiversallesca al parecer sacada de lo que quedó de un clip de la británica Annie Lennox, alcanzará a mirar la barra que cruza de un muro a otro. Desde ahí colgaba la polea que levantaba el gancho que pasaba el agua congelada de aquí para allá. Esto no es un hechizo set cinematográfico. Entre estas paredes, un mercedario arrodillado habrá pedido por la pecaminosa alma de Pedro de Alvarado muerto en territorio caxcán buscando el oro que años después daría Zacatecas al imperio. ¿En cuántas ocasiones algún leproso devoto no habrá agradecido al doctor Pedro López el haber abierto en 1572 y con su propio peculio ese refugio para bien morir guarecido y lejos de las burlas y los miedos de la buena sociedad novohispana?

Ahora, ahí mismo, Mick Jagger solicita amablemente al mexicano ingeniero de sonido que le baje a los monitores, que no se crea que está tan sordo a pesar de todo lo que en la vida de sus tímpanos se ha metido. Sergio Zenteno, que ése es su nombre, responde inmediatamente a la petición de Mick haciendo descender una pequeña palanca en la consola instalada justo en el lugar donde la niña Inmaculada Ortiz se sentó poco antes de ser confirmada en 1710. Pasos a la derecha una enorme hielera contiene varios envases de cerveza Guiness para gusto y satisfacción de Richards y Wood. Pasos a la izquierda el trabajador Antidio Zarzoza quedó tuerto del ojo izquierdo el viernes 23 de mayo de 1958 por mano de Carlos Montes en una pequeña trifulca laboral a hielazos. Pasos más allá uno de los trece bergantines de los que habla Hernán Cortés en la Tercera carta de relación enviada a Carlos V, y que hacía agua, tuvo que ser reparado.

El caso es que reparado el asunto —no había sido más que un pequeño rayón en una de las calcomanías del estuche que recordaban su paso por la vida profesional de Miles Davis y de Sting— todo pasó a olvido y Darryl Jones comenzó a sonar. El observador del video podrá verlo unos segundos menos de lo que se mira a Charlie Watts. Fuera de eso es igual. Un simple nuevo video de promoción filmado sabrá dónde. Seguramente no lo mejor que en este campo han hecho los Rolling.

ELVIS DOS DÉCADAS

Cuando encuestado telefónicamente hace días me urgieron la respuesta en una palabra nada más, contesté irreflexivo: "guácala". No me arrepiento. Fue sincero, pero como ya dije: irreflexivo. Ahora me extiendo porque tengo tiempo y estoy escuchando "Love me Tender" y además el espacio donde esto ha de salir quiere coincidir con el vigésimo aniversario de la muerte y eso no es —ustedes lo saben— sino hasta agosto de 1997.

Tal vez si hubiera estado oyendo "All Shook Up", "Heartbreak Hotel", "Hound Dog" o "Jailhouse Rock" a la hora de empezar a escribir, el tono de este texto variaría. Aclaro de una vez y por todas: Me gusta bailar, rocanrolear a mis anchas, en mucho eso explica mi vida en pareja. Y si me gusta rocanrolear necesariamente gusto de la música de Elvis. Pero no me gusta Elvis. Puesto a escoger rocanrolero favorito siempre me inclinaré por Chuck Berry y pensaré, instalado en aquella época que no escuché en directo, en alternativas como Fats Domino, en Ray Charles, en Little Richard. Elvis es parte de la última frontera antes de arribar a la insalubre ciénega diabética de Pat Boone. Con Elvis, en mojoneras anteriores colocaría mis discos de Ritchie Valens, de Buddy Holly, de Carl Perkins, de Eddie Cochran, de Gene Vincent, de Jerry Lee Lewis. Guardo en mis recuerdos por ahora al impensable viejito que con un rulo a la sígueme pollo invitaba a mi infancia a bailar "Rock around the Clock" desde la televisión mexicana en blanco y negro (¿alguien se acuerda de que Bill Haley murió en febrero de 1981?).

Como escribo con el impulso de "Love me Tender" ahora animado por "Are you Lonesome Tonight?", continúo mis reflexiones llevado por ese espíritu. Elvis es un globo, un zepelín inflado por pastas y por anécdotas. Tal vez eso me hizo responder en primera instancia: guácala. En los gabachos corazones anorgásmicos hoy (que son legión), los que se mecen en latidos que han buscado su sucedáneo en baratos marcapasos como Paul Anka, Neil Diamond y Barry Manilow, vive Elvis igual que más al sur, en otro contexto, habitan su edificio Pedro Infante y Carlitos Gardel. Los tres están con vida, sí, del mismo modo que Jim Morrison no ocupa lugar alguno en Pere Lachaise y sí su tumba. Elvis, típico y tópico, es el de la multicitada anécdota del beso preferente (¿quién no prefiere tres a sólo uno?) y el que pudo haber sido, por qué no, claro que sí, suegro de Michael Jackson y padre de dianética aferrada (escucho "Suspicious Minds"). Me gustan Frank Zappa, Leonard Cohen y Dire Straits y me deleitan las rolas que con Elvis como tema interpretaron ("Elvis apenas ha dejado el edificio", "El Rolls-Royce de Elvis", "Llamando a Elvis") tanto como el gag aquél, de lo poco salvable de una película miserablemente cursi, donde el que también la hizo de Cocodrilo Dundee le pregunta a Dios: "¿Está Elvis contigo?"

Elvis es lo que uno platica, el gemelo que murió, el que fue visto comiendo hamburguesas en Kalamazoo hace sólo cuatro años y consumiendo anfetaminas con unas barraganas en Tupelo hace dos, y también es el padre de engendros espectaculares que van desde sus películas (basta ver *Fun in Acapulco* y oír "There's no Room to Rumba in a Sports Car") a muchos de sus intérpretes mexicanos. Sí, Elvis es como Luis Aguilar víctima del tiempo y de los tiempos (aunque, aclaro, qué falta le hizo al gallo giro el departamento de publicidad que al final de los cincuenta conservó vivo al rocanrolero sobre el recluta en tierras teutonas y siguió vendiendo al blando Elvis que volvió a casa en los sesenta).

Elvis es aquel cuya presencia (no creo que muy consciente), ya una vez blanqueados los terrenos, por fortuna le impidió el agandalle total a los niños de suéter y manita sudada, pero es también el soldado obediente presumible por cualquier exacerbado nacionalista comedor de Kentucky refrito y la receta del coronel Parker. Puesto a escoger una vez más, prefiero bailar pegadito "Stand by Me" cantada por Mohammed Ali y rescato sobre la foto del sardino Elvis la del enlatado boxeador. Oyendo "Wear my Ring around your Neck" pienso ahora que, igual que cuando vivo, Elvis es lo que han hecho con él, lo que hacemos con él: un diablo con disfraz en el azul Hawai, una contradicción, un aún comprable figurín, un invendible figurón y alguien que murió antes que Bono grabara con él. Un hito, un rito, un pito, un mito... Tal vez por eso dije guácala. No, no quiero colaborar de ningún modo...

Vuelvo a poner el "Rock de la Cárcel". Marcela por fortuna ha cruzado la puerta bien dispuesta al baile.

POSTDATA COMO QUIEN TRADUCE
SU ROMPECABEZAS EN VEZ DE ARMARLO

a roser garcía aixás

El lunes 24 de marzo de 1986 en el periódico *El Día* salió una entrevista con Armando Nava, integrante de los Dug Dug's. El grupo rockero mexicano cumplía 20 años de rolar. Desde el natal Durango a Tijuana, de ahí al gabacho un rato y tras ello al Distrito Federal con Baby Bátiz, los Apson Boys y los Seven Days. Luego vino el previsible 71 de Avándaro que incendió tan rápido como apagó tantas rocanroleras esperanzas y de ahí, con los años, la cita con Adalberto Moreno y Salomón Risk, entrevistadores. Faltaba poco tiempo para que Salinas dejara que el rock foráneo, negocio como era y atracción para quien podía pagarlo, entrara a los grandes foros sin que la tira jugara su rol tradicional.

"¿Qué buscan los Dug Dug's en la escena rocanrolera?", preguntaron los reporteros para terminar la charla medio siglo después de que en Nuevo Casas Grandes, Chihuahua un grupo de ingenieros estadunidenses encabezados por alguien apellidado Le Roy Adams invadiera 58 000 hectáreas.

"Buscamos la internacionalización y el disco éxito a nivel nacional. Todos buscamos eso de alguna manera."

Hasta donde sé los Dug Dug's, en ese entonces formados por Carlos Chávez en el bajo, Enrique Nava en la batería y Armando en la guitarra y cantando, en 1996 noche tras noche tocaban en un lugar del Insurgentes sur defeño y de lo acaecido en el norteño estado, reportado en el diario *Unomásuno* en 1979, poca solución se miraba luego de quince o más años. Me pregunto: ¿Sabemos cuántos sembradíos de mota en el estado más grande de la república cuidan los encargados de destruirla, ya con uniforme, ya sin él? Hablemos sobre la urgente legalización de las drogas. Dejemos los ímpetus hemerográficos temporalmente a un lado. O mejor aún, hablemos de Richard Brautigan que era de quien desde un principio quise escribir. Él murió en 1984 pero hay alguien que prefiere pensar en el 68 porque en ese año en las afueras de San Miguel Allende y junto a la vía del tren se encontró un cadáver. Faltaban meses para el 2 de octubre. En 1998 se cumplen 30 años de que fue publicada *In a Watermelon Sugar*, novela de amor y de tragedia.

Ahora nadie lee *La pesca de truchas en Norteamérica*. Fue en 1967 que salió esta novela. ¡Novela!... ¡Quién puede leer un libro llamado así! ¡Novela! ¿Qué hace este volumen tirado entre textos de Leopoldo Zea, de Ludovico Ariosto, Althusser y Braudel? Son finales de los setenta y paseo por la facultad donde estudio para ser, algún día, historiador. Vivo en pareja y estoy entusiasmado. Faltan minutos para entrar a clase sobre Roma. En el aeropuerto de Filosofía sólo hay un puesto de libros y en ese puesto de libros diariamente uno me grita y yo le respondo un rotundo "no mames"... Me estás perdiendo y te estás perdiendo de mí, me dice. Como si Marylin Monroe que vive justo enfrente, aquí, en esta callejuela de Siena en verano, saliera a su balcón forrada en seda, transparencia y aromas y tú ahí, al otro lado, en la terraza, sin hacer aspaviento, dieras vuelta a la página de un libro de Fitzgerald.

Un buen día, finalmente, tal vez descuidado, tal vez seducido, lo compro. BRAUTIGAN (La fecha de nacimiento es el 30 de enero de 1935 y el lugar Tacoma, Washington). La traducción del inglés fue hecha por el tijuanense Federico Campbell.

No sé cuánto vayan a pagar por el curso de literatura y vanguardia que me pidió la universidad dos décadas después pero comienzo por la *Beat Generation* por si estaban esperando a Baudelaire. Como es de suponerse tarde o temprano, luego de Kerouac y Ginsberg y Gary Snyder y Burroughs y LeRoi Jones-Amiri Baraka, llegaré a Ken Kesey y mencionaré a Larry McMurtry. Todo para oír en clase a Jerry Garcia y Jefferson Airplane y releer a Brautigan para llevar a leer a Brautigan. Y Ken Kesey. La insania de la siquiatría. Cuernavaca. Años después de que Kesey estuviera en Cuernavaca hubo este encuentro sobre la antisiquiatría y llegaron entre otros Ronald Laing y David Cooper, Basaglia y Guattari y nosotros. Tú como parte de nosotros. Ya cuántos murieron. Cooper habló de amor y Félix el francés muerto como años después su infiel Deleuze, bailó rocanrol con la hermosa Leticia mientras Fritz rey del agua le gritaba Félix el gato, el único único gato. Nunca imaginó Fritz. Nunca imaginó Ken Kesey que el protagonista de *On the Road* fuera a ser chofer de su autobús ni que éste fuera a morir en Guanajuato. Nunca pensé comprar el libro ni volverme tan fiel su seguidor. Nunca pensé estar tan triste también. Esto es sólo una carta Roser y hace meses, hace años que has muerto. No tengo a quién enviar mi pensamiento, de qué timbres valerme y leo a Richard Brautigan traduciéndolo como quien traduce su rompecabezas en vez de armarlo. Esto, que he de traducir, se lo dedicó a Emmett. Brautigan también se suicidó. Tenía 49 años. Su cuerpo fue descubierto semanas después, el 25 de octubre de 1984. ¡Cómo puede alguien disponer de su vida en Bolinas, California!:

Death is a beautiful car parked only to be stolen on a street lined
with trees whose branches are like the intestines of an emerald.
You hotwire death, get in, and drive away like a flag made from a
thousand burning funeral parlors. You have stolen death because
you're bored. There's nothing good playing at the movies in San
Francisco. You joyride around for a while listening
to the radio, and then abandon death, walk
away, and leave death for the police to find.

Estacionada en una calle
cuyas filas de árboles tienen ramas como los intestinos de una esmeralda,
la muerte es un bello automóvil para hurtar.
Tú muerte urgente,
monta y conduce como una bandera hecha por mil casas funerarias
que se incendian.
Te has robado a la muerte por fastidio.
Nada hay bueno en la pantalla en San Francisco.
Disfruta la vuelta por un rato mientras oyes la radio
y luego abandona a la muerte, aléjate caminando y déjala
para que sea la policía quien la encuentre.

So the Wind Won't Blow it All Away fue su último libro publicado. Había junto al cadáver una pistola calibre 44 y una botella de alcohol.
    Sí: que el viento no arrastre con todo...

Los sesenta cumplen treinta
con un tiraje de 3 000 ejemplares
lo terminó de imprimir la
Dirección General de Publicaciones del
Consejo Nacional para la Cultura y las Artes
en los talleres de Ediciones Corunda,
S.A. de C.V., Oaxaca núm. 1,
CP 10700, México, D.F.,
en junio de 2001

Tipografía y formación: Alógrafo
Fuente: English Times de 11/12

Diseño de portada y cuidado de edición:
Dirección General de Publicaciones